RESTER JEUNE APRÈS 60 ANS

Une nouvelle jeunesse

C'est naturel, c'est ma santé

RESTER JEUNE APRÈS 60 ANS

Une nouvelle jeunesse

Estelle Lefevre

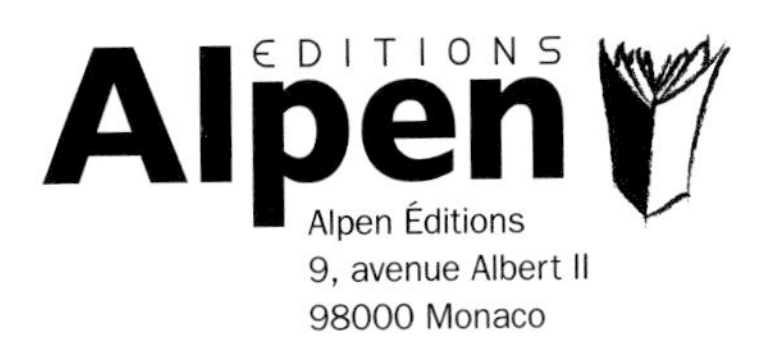

Alpen Éditions
9, avenue Albert II
98000 Monaco

Estelle Lefevre, sage-femme de métier, de formation médicale, journaliste et auteur d'ouvrages sur le bien-être, la nutrition et la santé.

A lire :

Garder la forme après 45 ans, Alpen Éditions,

Grossesse en douceur et *Cœur en forme*, Hachette pratique,

J'ai des trous de mémoire, Delville santé,

Qi gong, La gymnastique des gens heureux, co-auteur du Dr Yves Réquéna, Guy Trédaniel éditeur.

9, avenue Albert II
MC - 98000 MONACO
***Tél. :** 00377 97 77 62 10*
***Fax :** 00377 97 77 62 11*

***Direction :** Christophe Didierlaurent*
Suivi éditorial :
Fabienne Desmarets
Mise en page et infographie :
Stéphane Falaschi

Crédits photos :
Banana Stock, Corbis, Digital vision, Fancy, Image Source, Italia Stock, Photo Alto, Photodisc, Pixtal, Stockbyte, Thinkstock

***Dépôt légal :** 2009*
ISBN13 : 978-2-916784-36-6

Imprimé en France
Imprimerie Baud,
Dépôt légal n°601 : 2009
Saint-Laurent-du-Var

Introduction

Vivre plus longtemps, d'accord, mais en gardant une bonne santé et une bonne vitalité. Les progrès de la médecine et de la génétique sont d'une aide précieuse mais il ne faut pas compter que sur eux. Vous devez aussi apprendre à changer vos habitudes de vie.

Pour bien vieillir, il faut faire le point sur sa santé, consulter régulièrement un médecin, faire appel à des spécialistes du vieillissement pour repérer vos faiblesses, voire vos dysfonctionnements pour ensuite ajuster votre mode de vie à vos besoins corporels et psychiques. Peut-être devrez-vous adapter votre alimentation, mieux gérer le stress, améliorer votre environnement...

L'objectif est de compenser vos carences, corriger vos excès car plus votre corps est fatigué et stressé, plus il a de risques de vieillir vite et mal. En retrouvant un état d'équilibre, vous mettez toutes les chances de votre côté pour devenir un ou une centenaire rayonnant de vitalité.

TABLE DES MATIÈRES

VOTRE CHECK-UP 11

CAP SUR LA SÉRÉNITÉ 16

Retrouver le sommeil 16
Le plein de paix 18
Une assiette Zen 20

À VOTRE BON COEUR ! 22

La tension 22
Cholestérol : démêler le vrai du faux 24
Variez les graisses 28
Des fruits et des légumes ! 30
Un coeur de sportif 32

DES OS SOLIDES 34

L'ostéoporose 34
Plus de muscle, plus d'os 36
Halte aux fuites de calcium 38
Eviter la salière 40
Des cures calciques 42
Sans douleur naturellement 44

TRAVAILLER SON CERVEAU 46

Stimuler ses neurones 46
Bien manger pour ne pas perdre la tête 48
Cultiver ses neurones 50

La tête et les jambes **52**
Des sens en éveil **54**
Entendre, goûter, sentir… **56**

UNE NOUVELLE JEUNESSE 58
Prendre soin de sa peau **58**
La médecine de la beauté **60**
La gym de l'épanouissement **62**
Une belle allure **64**
La vie en rose **66**

L'ÂGE SEXUEL 68
Le désir **68**
Le périnée au coeur du plaisir **70**
Le désir au naturel **72**

DES MENUS DE JOUVENCE 75

QUESTION RÉPONSES 81

LEXIQUE 84

POUR ALLER PLUS LOIN 85

VOTRE CHECK-UP

A partir de la cinquantaine, il est bon d'entreprendre quelques examens pour dépister des facteurs de risques et prévenir l'apparition de certaines maladies.

Pour tous

La mesure de la tension artérielle. Elle doit être effectuée au moins une fois par an car malheureusement, 50% des plus de 60 ans ont une tension supérieure à la normale (140/90mmHg). Or une tension trop élevée augmente les risques d'accidents cardiaques, vasculaires cérébraux et maladies rénales.

Un bilan sanguin et parfois urinaire. Il est utile tous les 3 à 5 ans si les résultats sont normaux. La prise de sang permet de mesurer le taux de graisses (cholestérol et triglycérides) et de sucre (glycémie), le taux de globules rouges, globules blancs et plaquettes ainsi que des marqueurs d'une inflammation. On y associe aussi très souvent la recherche de sang, de sucre et d'albumine dans les urines.

Le test hémocult. Dans le cadre du dépistage organisé du cancer colorectal, il est conseillé de le pratiquer tous les deux ans entre 50 et 74 ans. Si vous avez des facteurs de risques personnels ou familiaux, votre médecin vous proposera une coloscopie (examen de l'intestin à l'aide d'un tube endoscopique surmonté d'une caméra). L'hémocult II permet de rechercher du sang dans les selles. Si on constate sa présence, on prescrit une coloscopie pour vérifier l'absence de polypes précancéreux, voire d'un cancer colorectal. Plus cette maladie est prise en charge précocément, plus les chances de guérison sont grandes.

Un contrôle bucco-dentaire. Consulter son dentiste une fois par an est un minimum. Il est important de traiter les problèmes dentaires (caries, déchaussement, abcès, gingivite...) car au-delà des conséquences locales, une infection de la gencive ou de la racine est une porte d'entrée d'infection à distance, avec des conséquences qui peuvent être graves (septicémie, atteintes cardiaques ou rénales, etc).

Un contrôle de la vue. Une fois par an, prenez rendez-vous chez l'ophtalmologiste pour mesurer l'acuité visuelle mais aussi pour dépister des pathologies de l'œil qui apparaissent fréquemment avec l'âge : le glaucome, la cataracte (surtout à partir de 60 ans) ou la dégénérescence maculaire.

Pour les femmes

Pratiquer une mammographie. Tous les deux ans de 50 à 74 ans si vous n'avez pas d'antécédents familiaux ou personnels. Plus tôt et plus fréquemment dans le cas contraire. L'examen est depuis peu entré dans une campagne de dépistage systématique. S'il ne vous a pas été proposé par votre médecin traitant ou par courrier, contactez votre caisse d'Assurance -maladie. Cette radiographie permet de déceler des tumeurs à un stade précoce non détectable par la palpation et ainsi augmente les chances de guérison.

Consulter son gynécologue. Une fois par an pour faire examiner votre utérus, vos ovaires et vos seins et pratiquer un frottis pour détecter d'éventuels lésions du col utérin.

Pour les hommes

Surveiller sa prostate. Jusqu'à maintenant, aucun dépistage systématique n'est mis en place. Néanmoins, les urologues recommandent de pratiquer chaque année un dosage du taux de PSA (antigène prostatique spécifique) et un toucher rectal à partir de 45 ans. Ces examens sont à l'heure actuelle effectués essentiellement chez les hommes ayant des antécédents familiaux ou des signes d'alerte (troubles de la miction diurne ou nocturne).

Des examens spécifiques

Un électrocardiogramme. La fréquence dépend de vos risques familiaux, personnels ou professionnels ainsi que du mode de vie (alimentation, stress, alcool, tabac). Cet examen permet de détecter des anomalies cardiaques.

Une spirométrie. Votre médecin peut vous proposer de mesurer votre capacité respiratoire en fonction de vos risques. Il peut ainsi repérer des maladies comme l'asthme, ou une bronchopneumopathie chronique obstructive.

Consulter un dermatologue. Tous les ans surtout si vous êtes blond ou roux, si vous présentez beaucoup de grains de beauté, si vous vous exposez souvent au soleil ou si avez des antécédents familiaux. Des tumeurs cutanées dépistées précocément guérissent bien alors qu'à un stade avancé, le pronostic devient mauvais.

Contrôler son poids. On associe souvent la prise de poids à une mesure du tour de taille et des hanches. Cette surveillance s'impose deux fois par an chez les femmes et les hommes en surcharge pondérale ou obèses. Des chiffres élevés exposent à des risques plus importants d'accidents cardiovasculaires, d'hypertension, de diabète et même de cancers.

Une consultation anti-âge

Depuis peu, une nouvelle spécialité médicale est reconnue par le conseil de l'Ordre des médecins : la médecine morphologique et anti-âge. Les médecins morphologues, généralistes ou spécialistes (dermatologues, nutritionnistes, endocrinologues, gynécologues...) tentent de maintenir la jeunesse de notre corps dans son ensemble : apparence physique, fonctions vitales et psychiques. Après un interrogatoire minutieux pour déterminer si le mode de vie favoriserait l'accélération du vieillissement, le médecin peut demander des examens complémentaires, radiographies, et bilans sanguins (hormonaux, nutritionnels...). Le traitement est variable d'une personne à une autre. Une complémentation alimentaire peut suffire mais parfois des interventions chirurgicales, généralement douces et peu invasives, peuvent être proposées. Ces consultations s'adressent à tous ceux, hommes ou femmes, jeunes et moins jeunes, qui souhaitent vieillir en bonne santé, en forme physiquement et intellectuellement en préservant leur image corporelle. Bien que reconnue officiellement, ces consultations ne sont pas prises en charge par la sécurité sociale. Leur coût s'élève à environ 60 euros. Ajoutez à cela quelques euros supplémentaires pour les compléments alimentaires voire un budget plus important lorsque vous effectuez des traitements chirurgicaux.
Faire des microsiestes
Pour récupérer pendant le week-end, faites une sieste de 15 à 20 minutes, en vous allongeant dans une pièce calme, rideaux tirées. Faites-vous réveiller pour éviter de vous laisser aller au sommeil sans limite. Sinon, on se sent souvent plus mal après et on s'endort difficilement le soir.

* Etude de l'Institut national de prévention et d'éducation pour la santé « Les Français et leur sommeil ».

CAP SUR LA SÉRÉNITÉ

Retrouver le sommeil

Nuits fractionnées, réveils difficiles... A partir de 50 ans, le sommeil est de moins bonne qualité ! Certaines personnes peuvent se contenter de 4 heures de sommeil alors que d'autres ne se sentent bien que si elles dorment 8 heures. Cette injustice face au sommeil est génétique. Toutefois, pour la majorité d'entre nous, soit 90%, nous avons besoin de 6h30 à 8 heures de sommeil pour être en forme. En France, nous dormons en moyenne 7h15 l'été et 7h45 l'hiver*.

Calculer son temps de sommeil idéal

Les vacances sont le moment le plus propice pour déterminer nos réels besoins en sommeil. Les premiers jours, on a tendance à dormir davantage pour récupérer la dette de sommeil accumulée. Au bout de trois ou quatre jours, le sommeil se régularise. Il y a une heure où vous sentez que vous pouvez vous lever et être en forme. Qu'elle que soit l'heure, 6h ou 8h, peu importe : il faut avoir envie de se lever et de s'activer. De façon générale, lorsqu'on se sent bien au réveil, c'est que l'on a assez dormi.

Pour avoir un résultat plus précis, on peut s'adresser aux consultations du sommeil, à l'hôpital. Une méthode consiste à porter pendant une dizaine de jours un actimètre (une sorte de montre qu'on attache au poignet) qui permet de calculer le temps de sommeil et d'éveil et de vérifier le fonctionnement de l'horloge biologique.

Récupérer le week-end

Lorsqu'on ne souffre pas de réels troubles du sommeil ou d'insomnie, on peut rattraper une dette de sommeil de la semaine, en se levant une ou deux heures plus tard le week-end. En revanche, lorsque l'on est réellement insomniaque, l'heure du lever doit, de préférence, être toujours la même.

Faire des microsiestes

Pour récupérer pendant le week-end, faites une sieste de 15 à 20 minutes, en vous allongeant dans une pièce calme, rideaux tirées. Faites-vous réveiller pour éviter de vous laisser aller au sommeil sans limite. Sinon, on se sent souvent plus mal après et on s'endort difficilement le soir.

* Etude de l'Institut national de prévention et d'éducation pour la santé « Les Français et leur sommeil ».

Une cure de mélatonine

Avec l'âge, notre sommeil est de moins bonne qualité car entre autre, notre organisme produit moins de mélatonine, une hormone régulatrice de nos horloges internes. Pour rétablir l'équilibre, faites des cures de DHA.

Une tisane et au lit !

Selon votre trouble du sommeil, certaines plantes sont plus adaptées que d'autres. Faites le bon choix :

- La passiflore : elle apaise les personnes survoltées et calme les palpitations.
- Le tilleul : il est tranquillisant (comme la camomille)
- La mélisse : pour les personnes anxieuse qui somatisent sur le ventre (colites, ballonnements...)
- La valériane : elle agit contre l'angoisse et le surmenage
- Le millepertuis : il améliore le moral.

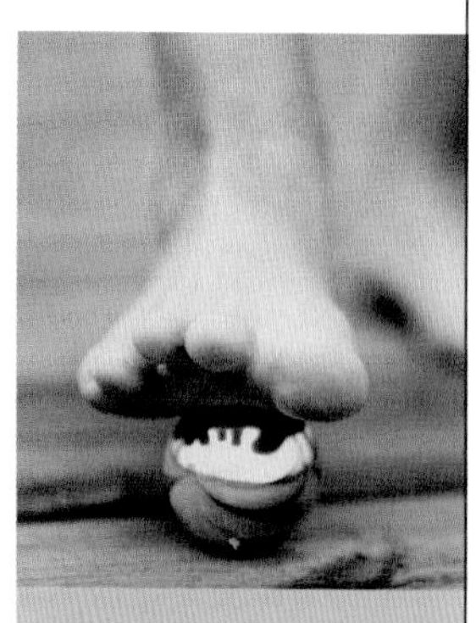

Pauses ...
- Se plonger dans le silence : manger sans télévision, éteindre la radio après avoir écouté une musique à fond... L'effet détente est immédiat !
- Se masser la plante des pieds avec une balle de tennis.
- Apaiser le stress avec un masseur de crâne, un petit ustensile en forme d'araignée qui agit sur les terminaisons nerveuses situées sur le crâne.

Le plein de paix

Pour dénouer les tensions du corps et les tourments, réalisez chaque jour durant quelques minutes, ces mouvements simples.

Un corps relax

Allongé sur le sol, les jambes et les bras légèrement écartés. Fermez les yeux, inspirez et expirez profondément mais sans forcer par le nez, trois ou quatre fois de suite. Stabilisez ensuite votre respiration et desserrez les mâchoires en entrouvrant légèrement la bouche. Contractez à présent les fesses, le ventre et les cuisses, puis relâchez-les complètement. Puis une après l'autre, raidissez vos jambes au maximum en inspirant, restez contracté 5 secondes, puis relâchez en expirant 5 secondes. Répétez l'exercice 4 à 5 fois de suite. Faites la même chose avec les bras sans oublier de serrer les poings. Lorsque la série de contractions est terminée, restez immobile et observez votre corps, détendu, mâchoires déverrouillées, cuisses, jambes, fesses et ventre totalement relâchés. Et appréciez ...

Gym détente

Allongé sur le sol, jambes et bras légèrement écartés. Fermez les yeux, inspirez par le nez en gonflant votre ventre sans forcer, faites monter l'air jusque dans la poitrine, et expirez lentement. Inspirez maintenant comme précédemment sur 4 secondes, gardez l'air poumons pleins durant 4 secondes, expirez sur 4 secondes et restez poumons vides 4 secondes. Répétez ce cycle respiratoire 4 ou 5 fois de suite. Vous vous sentez plus serein, désangoissé. Cet exercice peut aussi aider à l'endormissement.

Un massage du plexus

Le plexus solaire, situé au creux de l'estomac, est le siège de toutes nos émotions. Pour le détendre, rien de tel qu'un massage avec un cocktail aux huiles essentielles apaisantes.

- Préparer une huile de massage avec 5 ml d'huile de noisette additionnée de 10ml d'huile essentielle de géranium rosat, 10 ml d'huile essentielle de lavande et 10 ml d'huile essentielle de bois de rose. Versez 5 gouttes de ce mélange dans le creux de vos mains, étalez-le sur le centre de la poitrine puis massez en arc de cercle, du plexus vers les épaules. Respirez profondément et lentement tout le long du massage en veillant à relâcher tous les muscles du corps. A faire dès que vous vous sentez irritable, stressé ponctuellement ou quotidiennement, selon ses besoins.

Un mental zen

Si vous avez le mental en ébullition, adoptez la « posture de l'enfant ». Tirée du Yoga, elle permet de faire le vide dans la tête et repose le corps tout entier.
A genoux, assis sur les talons, inclinez le buste vers les cuisses, en gardant les fesses le plus près des talons. Les bras sont posés le long du corps sur le sol, mains tournées vers le ciel. La tête repose par terre sur le front ou sur le côté. Fermez les yeux et respirez profondément et doucement en faisant le vide et en sentant les muscles se détendre un peu plus à chaque respiration.

Une assiette Zen

Vous êtes anxieux, irritable, insomniaque ? Pour retrouver un bon équilibre nerveux, misez sur les aliments relaxants.

Le secret de la sérénité ? Une bonne hygiène de vie avant tout, avec un peu d'activité physique chaque jour et une alimentation variée qui fait la part belle au magnésium et à la vitamine B, deux nutriments intervenant dans la production de la quasi-totalité des neurotransmetteurs.

Naturellement sédatifs

Les pommes, la laitue, les laitages, la chicorée auraient des vertus calmantes. Ces aliments consommés le soir aideraient à trouver un sommeil réparateur. De façon générale, les sucres lents ont un effet relaxant. Préférez-les complets car ils sont plus riches en vitamines et en minéraux. Un dîner composé de riz, de quinoa ou pâtes complètes accompagné de légumes, d'un laitage et d'une pomme au four par exemple vous prépare à une bonne nuit. S'il ne faut pas manger gras le soir, il faut manger quand même car l'estomac vide vous empêchera de dormir. En revanche ne dépassez pas 100g de viande ou de poisson au dîner, car un repas riche en protéines augmente la production de chaleur dans le corps. Or c'est quand elle est basse que nous parvenons à nous endormir. Pour calmer le stress de fin de journée, pensez aussi à prendre un goûter composé d'une tranche de pain de seigle et d'un fromage par exemple ou d'un yaourt avec des amandes et des flocons d'avoine ou encore de quelques carrés de chocolat noir et d'une crêpe au sarrasin.

Du magnésium !

Nous devons en consommer au moins 300mg par jour, voire davantage si nous sommes particulièrement anxieux ou stressé. Ce minéral est indispensable pour nous aider à mieux résister au stress. Où le trouver ? Dans les céréales complètes, les fruits secs et les oléagineux et en grande quantité dans le cacao (520 mg pour 100g), les graines de tournesol (390 mg) délicieuses grillées dans les salades, les bigorneaux, les bulots et les escargots (250 mg), le son de blé (210 mg), les noix (200 mg), les lentilles (100 mg), les moules et les épinards (60 mg), le germe de blé à parsemer dans les yaourts, sur les soupes ou les salades, et évidemment dans les eaux minérales.

Cuisine aux huiles essentielles

On sait les utiliser dans les huiles de massage mais beaucoup moins dans la cuisine. Or c'est une autre façon de profiter de leurs bienfaits. Deux gouttes par personne suffisent. L'huile essentielle de mandarine ou d'orange dans une salade de fruits, une compote ou des muffins saura vous apaiser avant d'aller vous coucher. Et l'huile essentielle de camomille dans du miel viendra agréablement parfumer un yaourt ou une crème dessert tout en vous aidant à destresser.

À VOTRE BON CŒUR !

La tension

Dès que le cœur se dérègle, rien ne va plus. Pour le maintenir en forme, chassez ses ennemis et préservez tout ce qui lui fait du bien.

Quand la tension fait des bonds

Plus la tension artérielle est haute, plus le risque cardio-vasculaire augmente. Tous les spécialistes s'accordent pour définir l'hypertension artérielle par une pression artérielle supérieure à 140/90 (ou 135/85 si elle est mesurée chez soi avec un auto - tensiomètre). Pour se dire hypertendu, il faut toutefois que les chiffres soient à la hausse plusieurs fois sur plusieurs jours de suite. Pour que la mesure soit juste, il est par ailleurs important d'être au repos au moins 20 minutes avant la prise. L'hypertension artérielle passe souvent inaperçue : maux de tête, fatigue, troubles visuels sont rares. Il est donc indispensable de surveiller régulièrement sa tension au moins une fois par an après 30 ans voire plus jeune si on présente des facteurs de risques (embonpoint, tabagisme, abus d'alcool, sédentarité, antécédents familiaux). Contrairement à ce qu'on pourrait croire, l'hypertension n'est pas une maladie de vieux. En effet, si la moitié des hypertendus ont plus de 50 ans, l'autre moitié est plus jeune.

Des variations possibles

Notre tension artérielle varie au fil des heures de la journée et suivant ce que nous vivons. Lorsque nous dormons ou que nous nous reposons, elle baisse. A l'inverse, elle peut monter tout à coup lors d'efforts violents, de grands

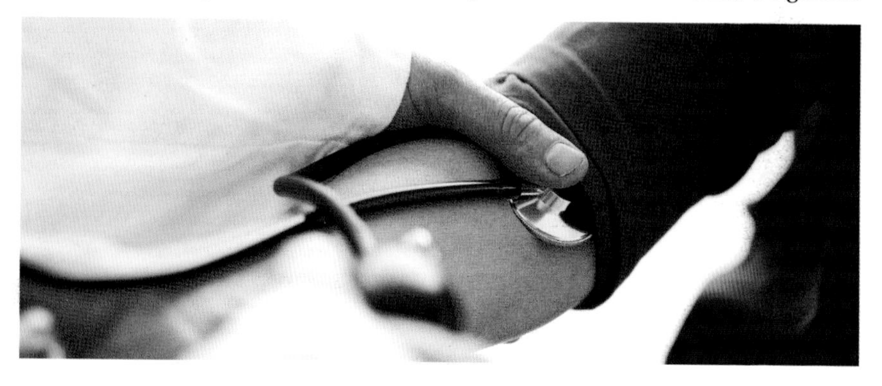

froids ou par fortes chaleur et baisser après un bon repas. Si vous ne souffrez pas d'hypertension artérielle, la tension baisse lorsque l'agression a disparu. En revanche, si vous souffrez d'hypertension, votre tension ne peut pas revenir d'elle-même à la normale. Il vous faut prendre un traitement médicamenteux.

Le tabac

En augmentant le rythme cardiaque et la pression artérielle, le tabagisme constitue un facteur de risque cardiovasculaire. Il peut être responsable de spasmes au niveau des artères provoquant un infarctus. Par ailleurs, il augmente le taux sanguin de cholestérol, diminue le bon, rend le sang plus visqueux et active les plaquettes, ce qui expose au risque d'athérome. Le responsable n'est pas la nicotine, mais l'oxyde de carbone, produit de la combustion du tabac. Celui-ci se fixe à l'hémoglobine à la place de l'oxygène. Les cellules sont ainsi moins oxygénées, et en particulier celles du muscle cardiaque qui ne peut plus assurer correctement sa fonction de pompe. L'insuffisance d'apport d'oxygène au cœur expose au risque d'infarctus.

Vitamines avec modération

On pensait que les suppléments vitaminiques pourraient préserver de certaines maladies mais parfois au contraire ils en aggravent le risque ! Une étude comparative menée pendant 8 ans chez près de 15.000 médecins américains de plus de 50 ans montre aujourd'hui que les suppléments de vitamine C et E, pris chaque jour sous forme de médicaments, n'empêchent pas les maladies cardiovasculaires. Ces produits n'ont aucun impact favorable ni sur les infarctus du myocarde, ni sur les accidents vasculaires cérébraux, ni sur la mortalité pour cause cardiovasculaire. Au contraire même, la vitamine E médicamenteuse pourrait augmenter le risque d'accident hémorragique cérébral. Les nutritionnistes ne cessent de le répéter : mieux vaut prendre les vitamines à l'état naturel, dans les aliments !

Journal of the American Medical Association (JAMA), volume 300, n° 18, p. 2123-2133

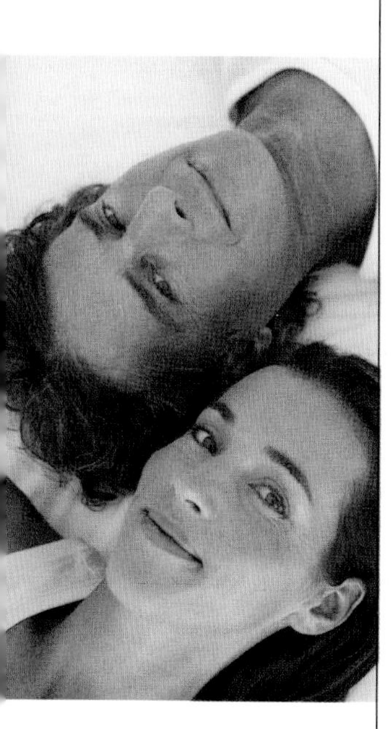

Cholestérol : démêler le vrai du faux

On entend tout et son contraire à propos du cholestérol. Mais une chose est sûre : il est un des principaux facteurs de risques des maladies cardiovasculaires. Mieux vaut donc mener une prévention efficace et mettre fin aux idées reçues.

On peut avoir un excès de cholestérol à tout âge
Vrai. L'hypercholestérolémie n'est pas un problème spécifique aux adultes. Même si c'est rare, les enfants peuvent en souffrir dès la naissance. A cet âge, l'origine est principalement génétique, on parle alors d'hypercholestérolémie familiale et touche une personne sur cinq cents. En fait, un tiers d'entre nous, tous les âges confondus, hommes comme femmes, ont trop de cholestérol, souvent sans le savoir car l'excès n'entraîne pas de troubles. On l'apprend par hasard à l'occasion d'un bilan sanguin par exemple chez la femme lorsqu'elle prend la pilule ou lors du bilan de la quarantaine.

Les hommes sont plus concernés que les femmes.
Vrai et faux. Si l'excès de cholestérol touche surtout les hommes, c'est parce que les oestrogènes exercent une action protectrice contre les effets du cholestérol. Mais à partir de 50 ans, et plus encore après 60 ans, la baisse de production d'oestrogènes met hommes et femmes à égalité. Il faut donc dès

les premiers signes de la pré - ménopause corriger ses erreurs alimentaires et pratiquer régulièrement une activité physique... Autrement dit adopter une hygiène de vie préventive.

Il est inutile de contrôler son taux de cholestérol avant 40 ans.
Faux. Pour prévenir les maladies cardio-vasculaires liées à l'excès de cholestérol, il est bon de réaliser un premier dosage sanguin entre 20 et 30 ans. Si le résultat est normal, il n'est pas utile de le renouveler avant 40-45 ans. En revanche, s'il est limite ou si on a tendance à prendre du poids, un contrôle plus rapproché, environ 5 ans après, est nécessaire. Dans certains cas particuliers comme l'hypercholestérolémie familiale, un dépistage se fait dès l'âge de 3 ans. Et chez les femmes, qui prennent la pilule, des dosages réguliers sont nécessaires tous les ans.

Au-delà de 2,5g/l, c'est inquiétant.
Vrai et faux. Cette limite maximale autorisée n'est pas inquiétante si on est jeune, qu'on ne présente pas d'autre facteur de risque comme l'hypertension artérielle, le tabagisme ou la prise de la pilule par exemple, et que le taux de bon cholestérol (HDL) est élevé. En revanche, si on a un antécédent d'infarctus, si le taux de mauvais cholestérol (LDL) est élevé, si on a plus de 50 ans, ce taux constitue un réel danger. Dans tous ces cas, pour être protégé des accidents cardiovasculaires, il faut avoir un taux de cholestérol total inférieur à 2 grammes et un taux de LDL inférieur à 1 gramme.

Se priver d'aliments contenant du cholestérol peut nuire à la santé.
Faux. Même si nous n'en mangeons pas, nous ne risquons pas d'en manquer. En effet, les trois quarts du cholestérol présents dans l'organisme ne proviennent pas de l'alimentation mais sont naturellement fabriqués par nos cellules à partir des sucres que nous consommons. Cette « autoproduction » permet de toujours disposer d'une quantité suffisante pour la fabrication des hormones et des acides biliaires ainsi que la régénérescence des membranes des cellules.

L'excès de cholestérol est toujours dû à des erreurs alimentaires.

Faux. L'excès de cholestérol est le plus souvent dû à l'association de deux paramètres : une susceptibilité génétique et une diététique déséquilibrée, trop riche en graisses saturées et en sucres. Il peut aussi être dû à une maladie : un dérèglement du foie, une hypothyroïdie ... La grossesse ainsi que certains médicaments comme la pilule et ceux utilisés dans le traitement de l'acné ou du sida, ont également pour effet d'élever le taux de graisses dans le sang, et plus particulièrement les triglycérides.

Il faut bannir les œufs

Faux. Même si le jaune est riche en cholestérol, on peut manger des œufs, en se limitant à 2 par semaine. Rappelons que le cholestérol que l'on mange n'est pas le plus toxique. Ce sont les acides gras saturés présents dans les charcuteries, les fromages ou le beurre qui présentent le plus de risques pour les artères. Attention aussi au sucre, apporté par les sodas, qui en favorisant l'excès de poids, peut faire grimper le taux de cholestérol.

En cuisinant avec de l'huile d'olive et des margarines stérols végétaux, on ne risque rien.

Faux. Cette mesure ne suffit pas à elle seule et ne sert même à rien si, par ailleurs on abuse des charcuteries, du beurre et autres aliments riches en graisses saturées ou encore si on consomme de grosses quantités de matières grasses même riches en stérols végétaux, car qu'elles soient d'olive ou de colza, enrichies en stérols végétaux ou non, elles sont toutes aussi grasses, donc caloriques. Un abus quotidien risque alors de faire prendre du poids, ce qui est un facteur de risque pour les artères.

Le régime peut suffire à faire baisser le taux de cholestérol
Vrai. Avec de bonnes habitudes alimentaires, on peut le faire baisser de 10 à 15%. Elles consistent en priorité à manger moins de graisses animales riches en acides gras saturés. Ce qui signifie de la viande pas plus de 3 fois par semaine, du beurre en très petite quantité, de la charcuterie exceptionnellement et préférer les yaourts et le fromage blanc à 20% de matières grasses maxi au fromage. Parallèlement, il faut augmenter sa consommation en graisses poly et mono insaturées en privilégiant les poissons (2 à 3 fois par semaine) et les matières grasses végétales.

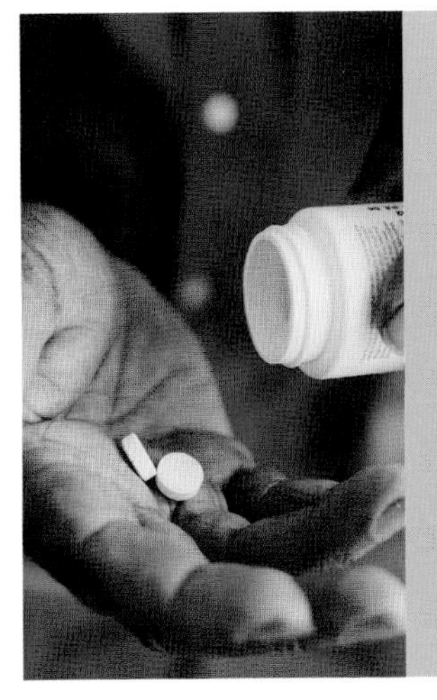

Faut-il avoir peur des statines anti-cholestérol ?

Nous avons beaucoup parlé de ce médicament pouvant provoquer des douleurs musculaires. Il est également rendu responsable de 20 accidents graves. Même s'ils sont regrettables, ils doivent être considérés comme exceptionnels car plusieurs millions de personnes en prennent sans problème. Enfin il faut reconnaître les bénéfices de ce médicament, qui à l'heure actuelle est le plus efficace pour traiter l'hypercholestérolémie et prévenir les infarctus du myocarde. La preuve : suite aux accusations diffusées par les médias, de nombreux patients ont arrêté leur traitement sans l'avis de leur médecin. La conséquence a été une recrudescence des accidents cardiaques dans les jours qui ont suivi.

Variez les graisses

S'il faut contrôler sa consommation de graisse, il ne faut pas pour autant les supprimer des menus. Certaines graisses ont une action anti-gras.

Moins de beurre

Sans le supprimer complètement car riche en vitamine A, le beurre doit être consommé en quantité limitée, pas plus de 10 grammes par jour, toujours cru et de préférence le matin. Les autres graisses animales, d'oie ou de canard doivent être réservées à des préparations occasionnelles.

Des huiles complémentaires

Pour bénéficier de l'action complémentaire des différents acides gras insaturés, il est conseillé d'utiliser plusieurs huiles. L'huile d'olive est intéressante pour ses acides gras monoinsaturés, mais ne contenant pas d'oméga 3, elle doit être associée à de l'huile de colza, de germe de blé, de noix ou de soja. Avec deux cuillerées à soupe d'huile de colza, vous êtes assuré de couvrir 90% de l'apport nutritionnel conseillé en oméga-3 et la totalité de vos besoins en vitamine E.

Du cholestérol végétal

On le trouve sous le nom de phytostérol. Cette forme de cholestérol n'est pas absorbable par l'organisme et inhibe l'absorption intestinale du cholestérol, ce qui permet d'abaisser le cholestérol sanguin, particulièrement le « mauvais » (LDL). Les phytostérols se trouvent dans les fruits et les légumes mais en quantité plus importante dans les légumineuses comme le soja et le maïs. Certains aliments en sont aussi enrichis, notamment certaines margarines, du lait et des yaourts.

Des graines à croquer

De potiron, de tournesol, de sésame et surtout de lin, ces graines sont très riches en acides gras polyinsaturés qui favorisent la baisse du cholestérol sanguin. Plus des deux tiers de leurs lipides sont constitués d'acide linoléique et des oméga-3. Elles renferment aussi de la vitamine E, un puissant antioxydant, capable de protéger les parois des artères. Leurs fibres abondantes aident par ailleurs à éliminer le cholestérol de l'organisme. Pour profiter de tous ces bienfaits, il est conseillé de les consommer moulues ou alors de bien les mâcher. Parsemez-en vos salades, introduisez-les dans vos desserts. Une à deux cuillerées à soupe par jour constitue la dose efficace pour obtenir des résultats.

Une cure de lécithine de soja

Pour consommer suffisamment de phytostérols présents dans notre alimentation, il faudrait manger de 1 à 2 kilos de végétaux par jour… une ration pas facile à atteindre. Le plus simple est de suivre une cure de lécithine de soja sous forme de comprimés ou de gélules. On peut aussi la consommer sous forme de granulés que l'on ajoute dans un yaourt ou une salade.

Mangez moins gras

Habituellement, les graisses apportent en moyenne de 38 à 40% des calories totales d'une journée. Or ce taux ne devrait pas dépasser 35%, voire 30% pour une prévention optimale. Pour y parvenir, pensez aux matières grasses allégées à 40% mg, à la crème fraîche à 15% mg ou la crème végétale (au soja, à l'avoine ou aux amandes) et aux sauces salade allégées. Privilégiez les cuissons à la vapeur, à l'étuvée, en papillotes, au gril ou à la plancha.

Des fruits et des légumes !

Ils doivent faire partie de tous vos repas, matin, midi et soir. Ils sont indispensables à la santé de votre système cardiovasculaire.

Pour les antioxydants

Véritables antidotes des radicaux libres impliqués dans la survenue des maladies cardiovasculaires, ils doivent être présents à tous les repas. Comme le prouvent différentes études, c'est à l'état naturel (et non en complément alimentaire) inclus dans une alimentation variée et équilibrée qu'ils jouent un rôle protecteur efficace. Vitamines C et E, lycopène et bêta carotène sont les anti-oxydants reconnus pour leurs effets préventifs sur les maladies cardiovasculaires.
La vitamine E se trouve dans certains fruits secs (amandes, noisettes), les huiles végétales, le germe de blé.
La vitamine C est présente dans de nombreux fruits et légumes et plus particulièrement dans les kiwis, les agrumes, les fraises, les poivrons et les choux.
Les caroténoïdes se puisent dans les fruits et les légumes colorés : le bêta carotène dans les jaunes ou oranges (carottes, le melon, les abricots), le lycopène dans les rouges (tomates, pastèques, papaye), et les caroténoïdes dans les verts (salades, choux, épinards).

Pour les fibres

Les fruits et les légumes, à raison de 400 grammes par jour, font partie du régime anti-cholestérol. Il est préférable de les manger entiers crus ou cuits, plutôt qu'en jus pour profiter de leurs fibres piégeuses de graisses. Une étude récente montre que les plus riches en pectine comme la pomme limitent le passage des graisses dans le sang en les piégeant dans le tube digestif. Cette fibre est également capable de capter les acides biliaires, ce qui diminue la fabrication du cholestérol par le foie. Les fruits contiennent par ailleurs des polyphénols qui participent à la protection des artères.

Pour perdre du poids

Pour préserver la pompe cardiaque, il faut lutter contre l'excès de poids et, si on accuse des kilos en trop, les éliminer ! Pauvres en calories, les légumes et les fruits donnent du volume aux repas pour trouver plus rapidement l'état de satiété.

On peut également les utiliser en monodiètes pour détoxiner l'organisme qui sera ensuite plus à même d'éliminer les déchets.

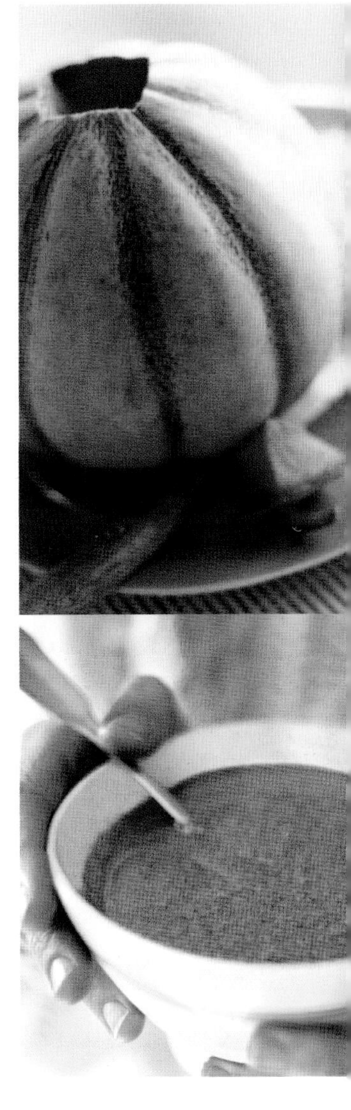

• Au printemps, faites le plein de petits légumes frais de préférence bios. Consommés seuls, les carottes, les pissenlits, les asperges ou le céleri ont un rôle dépuratif. Faites une cure d'une semaine, un repas par jour (de préférence le soir) constitué d'un de ces légumes, 100g cru et 400g cuit à la vapeur entiers, en soupe ou en purée.

• En été, cerises, pêches, melon ou pastèque nettoient le foie, la vésicule biliaire et les reins. Mangez-les frais, cuits, en purée... une fois par jour à un des repas, ou en cure jusqu'à 3 jours à tous les repas. Mais n'utilisez à chaque fois, qu'un seul aliment pour reposer le système digestif et profiter au mieux de ses vertus.

• En automne, du raisin, blanc si possible. Dépuratif sanguin et drainant, il aide à éliminer les graisses incrustées. On le mange à sa faim, jusqu'à 4 kilos par jour (à proscrire si on souffre de diabète). On peut le remplacer par la pomme, plus douce pour les intestins, intéressante pour stimuler et décongestionner le foie.

• En hiver, misez sur les soupes de légumes mixés ou en petits morceaux. Mélangez tous les légumes de saison que vous appréciez sauf les tomates trop acides. Le plein de légumes en cette saison lutte contre l'acidité de l'organisme responsable d'une baisse de l'immunité nous exposant davantage aux infections d'hiver.

Un cœur de sportif

L'exercice physique quotidien sur un rythme d'endurance... est indispensable pour maintenir son cœur en forme.

Marche, vélo, natation...

Peu importe l'activité physique, pourvu qu'elle fasse travailler le cœur en endurance pour améliorer ses capacités fonctionnelles. Pratiquées au moins 30 minutes par jour, elles permettent aussi de diminuer le taux de mauvais cholestérol et d'augmenter le bon ainsi qu'à lutter contre le surpoids. Enfin, le sport a une action protectrice directe sur les artères.

Pour savoir si on ne force pas trop, au risque alors de fatiguer le cœur plutôt que le fortifier, il est conseillé de pratiquer avec un cardiofréquencemètre permettant de contrôler en permanence votre rythme cardiaque. Votre cœur doit battre entre 60 et 70% de sa capacité maximale. Pour la connaître, effectuez le calcul suivant : 220 – votre âge = Fréquence cardiaque maximale. Si vous avez 60 ans, votre FCM est 160. Votre rythme d'endurance correspond alors à un rythme cardiaque égal à 160 – 70% soit entre 100 et 110.

Au pas nordique

Si le jogging ne vous tente pas et si la marche vous ennuie, essayez la marche version nordique. Très populaire au nord de l'Europe, cette technique est arrivée en France depuis quelques années. Comparable au ski de fond sans neige, ce sport très complet faisant travailler les bras et les jambes, est accessible à tous. Il entretient le système cardio-vasculaire et participe à la bonne santé de vos os.

En pratique : les bâtons, que l'on tient grâce à des dragonnes, aident à se propulser vers l'avant. Du coup, on avance plus vite, on grimpe les côtes en faisant des bons, on peut sauter par-dessus des troncs d'arbres sans difficultés ou contourner des arbustes ... Avec l'entraînement, on est comme monter sur ressorts. Pour les premières séances, il est préférable de s'adresser à un professionnel. Professeur de gym ou accompagnateur en montagne selon la région où on se trouve proposent des circuits sur mesure, plus ou longs et toniques en fonction du niveau du groupe mais aussi de ses besoins, qui peuvent être tout simplement de l'entretien ou développer des capacités d'endurance en douceur sans malmener les articulations et le dos.

Une séance type de rééducation cardiaque

Après un échauffement de 5 minutes à petite allure, marchez, courez ou pédalez durant 25 minutes à un rythme plus soutenu amenant votre cœur à un rythme d'endurance, soit 60 à 70% de votre fréquence cardiaque maximale. C'est à ce moment que vous travaillez de façon efficace pour augmenter les capacités de votre organisme. Récupérez en reprenant une petite allure durant 5 minutes. Terminez la séance en étirant vos muscles durant une dizaine de minutes.

L'ostéoporose

Ennemie des femmes à la ménopause, la perte osseuse peut, le plus souvent, être évitée avec des gestes simples d'hygiène quotidienne.

Plus d'une femme sur trois est menacée par l'ostéoporose. Longtemps silencieuse, cette maladie est souvent détectée tardivement, au stade des douleurs et des fractures. Or elle n'a rien d'une fatalité, sa prévention est possible avec des mesures d'hygiène de vie à la portée de toutes.

• Se préoccuper de ses os avant la ménopause. Si la perte osseuse s'accélère au moment de la ménopause lorsque la production d'hormones par les ovaires s'arrête, elle commence 5 à 6 ans avant la ménopause. Une diététique adaptée doit donc être mise en place dès la quarantaine, voire même bien avant.
• Stop à la maigreur. Un poids trop faible favorise l'apparition de l'ostéoporose. Notamment si l'indice de masse corporelle est inférieur à 19.
• Calcium à gogo. Il aide à limiter la perte osseuse. Même lorsque l'on suit un traitement substitutif, les apports en calcium restent utiles car ils augmentent les effets bénéfiques sur le plan osseux. Veillez à en consommer 1200 mg/jour.
• Halte aux régimes. Attention à l'effet Yoyo : plus la perte de poids est rapide, plus la perte osseuse est rapide et importante.
• Surveillez votre taille. Après la ménopause, une perte de taille de quelques centimètres doit attirer l'attention et mener à en parler au médecin traitant.

Elle peut être le signe d'une fracture vertébrale et nécessiter une radiographie.

- Arrêter de fumer. Le tabagisme augmente le risque d'ostéoporose. D'abord car les fumeurs ont souvent un indice de masse corporelle bas. Ils font moins de sport et la ménopause est souvent précoce chez les femmes qui fument.
- Privilégier l'activité physique. Marchez au moins 30 minutes par jour et faites deux à trois séances de musculation par semaine.
- A la ménopause, consultez un médecin pour savoir si vous avez besoin d'un traitement. Après un examen clinique, le médecin peut demander une radiographie, qui précise la densité osseuse.

Test : Évaluez vos risques osseux

Additionnez vos points et reportez-vous aux résultats

	OUI	NON
Mince et longiligne	1	0
Fumeuse	1	0
Consommation d'alcool élevée	1	0
Ménopause avant 45 ans	2	0
Mère victime de fracture du col du fémur ou poignet	3	0
Sédentarité	2	0
Alimentation pauvre en lait, yaourt et fromage	2	0
Traitement de plusieurs mois à la cortisone ou anticonvulsivants	2	0
Ablation des ovaires	3	0
TOTAL		

Résultats

Moins de 4 points : Votre risque est faible. Surveillez votre hygiène de vie et au moment de la ménopause, faites un bilan chez le médecin.

Plus de 4 points : Vos os ont tendance à être fragiles. Consommez suffisamment de calcium et pratiquez une activité régulière. Dès la ménopause, faites un bilan complet car un traitement sera sans doute nécessaire.

Plus de muscle, plus d'os

Plus vous avez des os fragiles, plus il faut bouger. En sautant, en marchant, en courant, vous fabriquez de l'os.

C'est prouvé ! Une étude menée auprès de femmes ménopausées pendant un an a montré de façon irréfutable que celles qui pratiquaient une activité physique modérée deux fois par semaine, régulièrement, ont vu leur densité osseuse augmenter de 1% alors que les autres l'ont vue diminuer de 2%. En effet, plus vous développez votre masse musculaire, plus il vous faut de masse osseuse pour la supporter. Et comme la nature est bien faite : votre organisme se charge d'établir le bon équilibre. Conclusion : en faisant du sport, vous augmentez à la fois votre masse musculaire et votre masse osseuse.

15 minutes pour se muscler

• **3 minutes.** Pour les fesses. Debout, jambes jointes et tendues, bras relâchés le long du corps. En amenant le bras droit tendu devant, tendez la jambe gauche vers l'arrière sans cambrer le dos, et faites 15 battements vers le haut. Changez de côté. Renouveler 4 fois.

• **3 minutes.** Pour la taille. En planche dorsale, les jambes tendues et bien jointes. Levez le bassin et contractez-le. Dans cette position, faites une rotation du tronc à gauche en gardant le ventre bien serré, puis à droite en repassant par le milieu. Gardez chaque fois la position durant 5 secondes. Reposez le bassin entre chaque exercice. Surtout ne poussez pas le ventre vers le haut. Dans cet exercice, l'ensemble des groupes musculaires travaillent : bras, fesses, abdos et jambes.

• **4 minutes.** Pour le dos. Jambes jointes et tendues, à plat ventre, bras fléchis, mains au sol à hauteur de la poitrine, le front sur le sol. Faites pression sur les mains en serrant les coudes vers l'intérieur et relevez la tête et le buste le plus haut possible. Gardez la position 5 secondes. Renouveler 4 fois.

• **3 minutes.** Pour les triceps. Couché sur le dos, les jambes jointes et fléchies, pieds au sol, les bras sont tendus au dessus de la tête, un haltère (ou une petite bouteille d'eau remplie) dans chaque main, les coudes et les avant-bras sont parallèles. En gardant les coudes fixes, fléchissez les avant-bras vers la tête très lentement (8 secondes), puis revenez à la position de départ au même rythme. Renouveler 6 fois puis refaites l'exercice en travaillant sur 4 temps.

• **2 minutes.** Pour les biceps. Sur une chaise, dos plat, jambes jointes, bras fléchis le long du corps, un haltère dans chaque main. Sans solliciter le dos, ouvrez les bras sur 8 temps à 90 degrés et revenez à la position de départ au même rythme. Renouveler 10 fois de suite.

Les hommes aussi

Autour de la cinquantaine, un homme pour trois femmes est concerné par les fractures du poignet dues à une fragilité osseuse. Le tabagisme, l'alcoolisme, l'hypogonadisme (insuffisance de production de testostérone par les testicules), les maladies hépatiques et digestives, le traitement hormonal du cancer de la prostate qui bloque la production de testostérone ou encore le traitement prolongé corticoïde prolongé en sont les principales causes.

Faites les bons choix

A éviter ou à consommer de façon occasionnelle : les charcuteries, les abats (foie, langue, tripes...), la viande jeune (veau, coquelet, porcelet, dindonneau), certains poissons (morue, anchois, hareng, sardines, œufs de poisson), fromages très fermentés car ces aliments sont riches en acide urique. Les betteraves rouges, les blettes, les épinards, l'oseille, l'ortie, la rhubarbe, le persil, les légumes secs, le chocolat et le thé contiennent trop d'acide oxalique.

A privilégier : les abricots, les carottes, les oranges, les raisins secs, les salades, les tomates, les asperges, les bananes, les choux, les haricots, les poires, les pommes, les pommes de terre. Boire beaucoup d'eau pendant et après l'effort, en préférant les eaux alcalines type Vichy Celestin et Badoit.

Halte aux fuites de calcium

Certaines habitudes alimentaires peuvent empêcher la fixation du calcium ou accélérer son élimination. Quelques conseils pour le retenir.

Manger basique

Riche en viande, en sucres raffinés, en graisses saturées, notre alimentation est très souvent trop acide. Avec entre autre, pour conséquence, une accélération de la perte osseuse.

Au cours de la digestion, les aliments sont réduits en petits morceaux qui libèrent plus ou moins d'acidité. Or, cette hyperacidité pourrait jouer un rôle dans l'apparition des maladies cardiovasculaires, de l'ostéoporose, de migraines, de rhumatismes et de vieillissement prématuré. On a donc tout intérêt à réduire sa consommation d'acides et favoriser les bases. Pour choisir vos aliments, ne vous fiez pas aux goûts : ils sont trompeurs. En effet, on pourrait penser que le citron, au goût acide, est acidifiant. Or, après digestion, l'acide citrique de ce fruit donne un résidu alcalinisant. Et contrairement à ce qu'on pourrait croire, le vin blanc n'est pas plus acide que le vin rouge. L'orange, apparemment plus douce est quant à elle acidifiante. Les pâtes, les biscottes, le bœuf, l'œuf, le saumon et le riz sont particulièrement acidifiants. En revanche, le brocoli, la banane, la carotte, l'ail et le café ont un bon indice alcalinisant. Toutefois, il n'est pas question de ne consommer des aliments que d'une seule catégorie.

Les principes de base sont : saler le moins possible, huiler légèrement, ne pas trop beurrer (le beurre est acide), manger frais, éviter les produits transformés, boire beaucoup. Par ailleurs, dans un même repas, il faut compenser l'acidité de certains aliments par leur complément en base. Par exemple, si vous mangez un steak (acide), il faut l'accompagner de légumes frais (bases) ou le précéder d'une soupe de légumes. Un repas fait de céréales et de fromage (acides) doit impérativement se composer de salade et se terminer par des fruits (bases).

Mariez-les

- Un steak (acide) + haricots verts (base) + pomme de terre cuite à l'eau (base) + salade de fruits (base)
- Des crudités (base) + des pâtes (acide) aux asperges (base) + une pomme (base).
- Sushis de saumon (acide) assaisonnés de jus de citron frais (base) + salade (base)
- Deux œufs durs (acide) + carottes râpées arrosées de jus de citron frais (base) + pommes de terre (base) + fromage (acide).
- Couscous à la viande et semoule (acides) + légumes (base) avec beaucoup de raisins secs (une base puissante).

Eviter la salière

Une consommation excessive de sel augmente l'élimination du calcium et donc diminue la réserve calcique de l'organisme.

Prendre l'habitude de ne pas resaler systématiquement vos plats, éviter les plats tout prêts trop salés (pizza, potages, sauces, biscuits), se méfier de certains aliments de consommation courante comme le pain, le fromage et les charcuteries... ces mesures simples sont souvent suffisantes pour ne pas dépasser la dose de 4g de sel par jour, la dose recommandée.

Changez de réflexes

• Rangez la salière au placard. Un peu de sel en fin de cuisson (et non pendant) des plats et c'est tout !

• Utilisez des sels « allégés ». Il existe des sels pauvres en sodium et riche en potassium, d'autres où une partie du sel a été remplacée par un mélanges d'herbes aromatiques.

• Préférez les charcuteries, plats cuisinés, soupes affichant un allègement en sel.

• Pour donner du goût, pensez aux épices, aromates et autres condiments.

• Quelques gouttes de jus de citron vert, de vinaigre balsamique ou de xérès relèvent d'une pointe d'acidité certaines de vos préparations, et évitent ainsi de trop saler.

• L'ail, l'échalote ou l'oignon apporte une note piquante qui suffit souvent à elle seule pour rendre une sauce plus goûteuse.

• Associez un aliment salé à un aliment riche en potassium pour limiter les méfaits du sel. Par exemple, avec une tranche de jambon cru (sel), prendre un demi melon (potassium).

Faites vos comptes

Pour connaître le taux de sel des préparations industriels, lisez bien les étiquettes : généralement, les industriels indiquent la teneur en sodium du produit. Il faut diviser par 4 pour obtenir le taux de sel réel. Voici quelques exemples d'aliments qui permettront de vous rendre compte que la dose quotidienne conseillée peut rapidement être dépassée.

ALIMENTS	TENEUR EN SEL
100g d'olives noires	8.2g
100g de saucisse sèche	5.1 g
100g de jambon cru	5.3 g
Une part de 200g de pizza	2.6 g
Une demi baguette	1.70 g
45g de saumon fumé	1.1 g
50g de cacahuètes	1.23 g
1 croque-monsieur	1.17 g
50g de corne flakes	1 g
50g de margarine	250 mg
40g de camembert	321 mg
1 café au lait	71 mg
1 yaourt nature	59 mg
250g de légumes	18 mg
2 carrés de chocolat	5 mg
1 pomme de 150g	4 mg
15cl de jus de fruits 100%	2 mg
1l d'eau minérale	2.2 à 15mg

Plus de traitements

Jusqu'à présent en dehors des apports en calcium et vitamine D, et le traitement substitutif de la ménopause, on ne disposait pas d'autres traitements. Depuis peu, nous disposons de nouveaux médicaments : les bisphosphonates. Il suffit de le prendre une fois par semaine, 30 minutes avant le petit déjeuner avec un grand verre d'eau pauvre en calcium. La durée recommandée du traitement est de 5 ans chez la femme et encore mal déterminée pour les hommes. Les études sont en cours.

Des cures calciques

Après 50 ans, vous avez besoin d'importantes quantités de calcium pour assurer le renouvellement des cellules de vos os.

Après la ménopause, vous devez absorber environ 1200 milligrammes de calcium par jour. Pour couvrir vos besoins consommez du lait et ses dérivés (fromages, yaourts, fromage blanc...) mais aussi d'autres aliments moins connus pour leur richesse en calcium qui pourtant sont utiles lorsque l'on n'aime pas ou que l'on ne supporte pas les laitages.

Sur la voie lactée

Boire du lait n'est pas la meilleure solution pour assurer vos besoins en calcium. Il en contient, certes, mais il n'est pas aussi bien absorbé par l'organisme que celui présent dans les yaourts ou les fromages. En effet, le rapport Calcium/phosphore n'est pas optimal dans le lait et ce dernier contient un sucre, le lactose, que certains d'entre nous ne peuvent pas dégrader et qui empêche l'absorption du calcium. De façon générale, les fromages à pâte pressée, qui contiennent le moins d'eau, sont les plus concentrés en calcium (mais attention, ils sont aussi les plus riches en graisses et en calories).

Dans les légumes aussi

Il n'y a pas que le lait qui contient du calcium, certains légumes en apportent aussi comme le persil (200mg), le cresson (180mg), les pissenlits (165mg), les haricots blancs (150mg), les choux

(45mg). Le soja, le sarrasin, le quinoa, l'avoine et l'orge sont les céréales les plus riches en calcium. Les amandes constituent également une excellente source (250mg) ainsi que les sardines en boîte mangées entières car le calcium se trouve dans les arêtes. Pensez aussi au lait de soja et au lait d'amandes.

Du calcium dans l'eau

Si votre régime est pauvre en calcium : peu de laitages, de légumes, de fruits à coque..., vous pouvez compenser avec des eaux calciques type Contrexeville, Courmayer et bien d'autres. Pour les dénicher dans les rayons des supermarchés, lisez attentivement les étiquettes : les plus riches en contiennent plus de 150mg/l.

Miser sur la vitamine D

Elle est nécessaire à l'absorption du calcium. Elle contribue aussi à assurer un meilleur équilibre, améliore le tonus des membres inférieurs, diminue le risque de chute et de fractures. Associée au calcium, elle réduit le risque de fracture de la hanche chez les femmes plus âgées. On la trouve dans les poissons gras, le foie, le jaune d'œuf, la crème entière et le beurre... La vitamine est aussi et surtout synthétisée par la peau à partir des rayonnements du soleil : 10 minutes de soleil par jour, c'est la bonne dose. Or en vieillissant, notre capacité de fabrication est réduite et on a tendance à se protéger du soleil pour prévenir les rides et les tâches.

Des collations calciques

A 10 heures ou au goûter, croquez 2 à 3 carrés de chocolat noir (107mg de calcium dans 100g), grignotez quelques amandes ou des noisettes, dégustez une tranche de pain avec du gruyère.

Harpagophytum

Sans douleur naturellement

Liées à l'arthrose, les douleurs peuvent être soulagées naturellement par des plantes.

L'arthrose concerne 3,5% des consultations et atteint environ 5% des personnes âgées de 55 à 65 ans. Sans gravité, les symptômes n' en sont pas moins douloureux et invalidants. Pour soulager efficacement ces douleurs chroniques, pensez aux plantes. Elles peuvent éviter le recours précoce aux anti-inflammatoires ou aux corticoïdes ou encore de diminuer les doses quand leur prescription est indispensable.

Rééquilibrer le terrain

Un apport en oligoéléments et en minéraux peut aider à reconstruire ou à ralentir la destruction du cartilage.

• Le sélénium : ses propriétés anti-oxydantes ralentissent le vieillissement des tissus de l'articulation.

• Le manganèse : il favorise la synthèse du tissu conjonctif. Associé au cobalt, il constitue le traitement de base des terrains arthrosiques.

• Les vitamines C et E nécessaires à la synthèse d'un nouveau collagène. De la vitamine B6 et D, leur insuffisance favorisant l'arthrose.

Des plantes anti-douleurs

Usez sans crainte des pantes antalgiques :

• L'harpagophytum contre la raideur : antalgique et anti-inflammatoires, il aide à retrouver une meilleure mobilité des articulations. On peut le prendre sous forme de gélules ou de teinture-mère.

• Le romarin pour désintoxiquer : son action anti-radicalaire permet de ralentir le vieillissement des tissus articulaires.
• L'ortie pour soulager : en infusion ou en pommade sur l'articulation douloureuse, elle procure un soulagement rapide.

Plus de souplesse avec les granules

L'homéopathie propose divers remèdes adaptés à chaque cas :
• Si l'humidité aggrave les douleurs : prendre Rhus toxicodendron 7 CH, 2 granules 3 fois par jour. Vous êtes aussi concerné si vous vous sentez raide au réveil ou après un repas prolongé.
• Si le mouvement soulage : les douleurs siègent surtout au niveau de la colonne vertébrale et des genoux et vous ressentez le besoin de vous étirer : prendre Radium bromatum 7 CH, 2 granules 3 fois par jour.
• Si les poussées d'arthrose sont chroniques : elles apparaissent surtout au froid et disparaissent à la pression de l'articulation et au contact de la chaleur. Prendre Briona alba, 7 CH, 2 granules 3 fois par jour.
• Pour modifier le terrain : Selon la localisation de la douleur, prenez en complément les remèdes suivants : Actea racemosa pour les phalanges, Harpagophytum pour les poignets, Hekla lava pour les pieds, Angustura pour les genoux. A prendre en 5 CH, 2 granules 3 fois par jour.

Partez en cure

Les bienfaits des cures thermales contre les rhumatismes sont indiscutables. Différentes études montrent que la cure entraîne une baisse de la consommation d'anti-inflammatoires de 45 % et d'antalgiques de 33 %. Elle permet aussi une diminution voire une disparition des douleurs et une amélioration de la mobilité articulaire. On bénéficie des propriétés anti-inflammatoires ou antalgiques des eaux ainsi que de leurs boues mais aussi des divers soins (douches, bains, cataplasmes, massages...).

TRAVAILLER SON CERVEAU

Stimuler ses neurones

Perdre la mémoire, devenir dépendant, « perdre la boule »... le vieillissement cérébral fait peur. Pas de panique ! Le cerveau, ça s'entretient.

Comme tous les organes, le cerveau n'échappe pas au vieillissement. La paroi des vaisseaux se rigidifie au fil des ans et se calcifie, entraînant une altération de la circulation cérébrale et de son oxygénation. Par ailleurs, à partir de 25 ans-30 ans, les neurones disparaissent progressivement. Nous en perdons 50 000 à 100 000 par jour sur un total d'environ 100 milliards. Or les neurones, sont les seules cellules dans l'organisme qui ne se renouvellent pas. Et la grande majorité des neurones perdus se situent dans les zones du cerveau impliquées dans le processus de mémorisation. Si on se tient à cette explication physiologique de l'évolution des cellules nerveuses, on peut craindre à une détérioration inéluctable de la mémoire. Or ce n'est pas le cas. D'abord, parce qu'à 85 ans, on dispose encore d'un stock de 7 à 8 milliards de neurones. Ensuite parce que l'on sait depuis 1998 que de nouveaux neurones se créent jusqu'à plus de 72 ans. Enfin, les neurones sont capables d'établir de nouvelles connexions avec d'autres cellules nerveuses et ainsi faire perdurer nos capacités intellectuelles.

Toujours en alerte

Stimuler la formation des contacts entre neurones constitue une parade au vieillissement cérébral. Par ailleurs, aujourd'hui, avec les nouvelles connaissances scientifiques et la meilleure prise en charge des problèmes neurologiques et psychiatriques, la vieillesse ne rime pas forcément avec mémoire « trouée ». Une étude américaine récente, nous apporte même la preuve que nos capacités à mémoriser semblent depuis quelques années durer plus longtemps : alors qu'en 1993, 6% des personnes âgées de plus de 70 ans éprouvaient des troubles de la mémoire, en 1998, moins de 4% se plaignaient de ce type de difficultés.

Mesurer sa mémoire

Un chercheur, George Miller, a découvert l'existence d'un empan mnésique, c'est-à-dire le nombre moyen d'informations que peut stocker notre mémoire durant un temps limité, trois minutes maximum. Même s'il existe des variations d'une personne à une autre, l'empan moyen est de 7 éléments. Pour évaluer votre mémoire (uniquement à court terme), vous pouvez chercher votre empan de mots (nombre de mots retenus dans une liste), votre empan de phrases (nombres de mots retenus dans un texte), votre empan de chiffres (nombres de chiffres retenus sur une note de supermarché par exemple), votre empan visuel (nombre d'images ou de visages retenues).

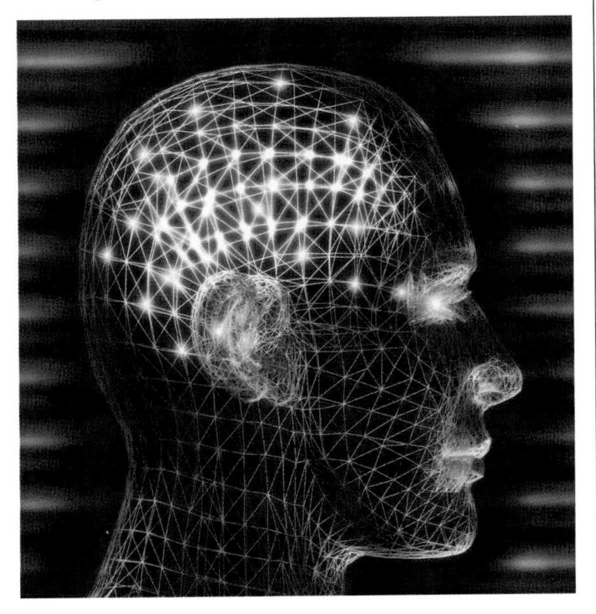

Bien manger pour ne pas perdre la tête

Le système nerveux dépend des apports nutritionnels et les chercheurs voient s'ouvrir devant eux une nouvelle voie de prévention…

Très vulnérable au stress oxydatif, le cerveau bénéficie des apports de nombreux micronutriments antioxydants comme les vitamines et les minéraux. Elles n'agissent pas directement sur la mémoire mais sur la protection des neurones. Un déficit en zinc, par exemple, nuit au maintien des fonctions cérébrales. Des apports trop faibles en sélénium peuvent être associés à des états dépressifs ou à des troubles de l'humeur. A l'inverse, un excès de zinc ou de fer peut être lié à diverses maladies neurologiques comme la maladie de Parkinson ou la maladie d'Alzheimer. Tout est en fait une question d'équilibre. Trop d'acides gras oméga 6 pourraient augmenter le déclin cognitif, alors que la consommation d'oméga 3 pourraient le diminuer.

Championnes : les C et E !

Différentes études analysant l'utilité des vitamines sur l'activité des neurones, montrent que les vitamines C et E sont celles qui donnent les meilleurs résultats. En effet, un mauvais statut en vitamine C augmente le risque d'altérations de la fonction cognitive, alors qu'un statut favorable diminue le risque de démence et de maladie d'Alzheimer. De même, de trop faibles taux de vitamine E sont associés au déclin cognitif, aux mauvaises performances de la mémoire et même au risque de maladie d'Alzheimer.

De la B pour l'humeur

Les vitamines du groupe B sont indispensables aux neurotransmetteurs cérébraux et une carence en vitamines B9 et B12 a pu être mise en rapport avec certains troubles du comportement. Les vitamines B1, B6, B9 et B12 jouent un rôle essentiel dans la régulation de l'humeur ainsi que dans les processus de mémorisation. Les vitamines B1 et B3 sont notamment indispensables au métabolisme cérébral. Par ailleurs, les vitamines B6, B9 et B12 pourraient, selon des chercheurs, prévenir certaines maladies neurodégénératives. Normalement, avec une alimentation variée et équilibrée, on ne doit pas manquer de ces vitamines car elles sont présentes dans de nombreux aliments.

Où les trouver ?

La vitamine B1 ou thiamine se trouve dans les céréales complètes, la viande de porc, les abats, le jaune d'œuf, les légumes et les fruits secs (dattes, bananes, figues).
La vitamine B6 ou pyridoxine se trouve dans les viandes, les abats, les poissons, les choux, les pommes de terre, le maïs et les légumes secs (lentilles, pois chiches, haricots rouges).
La vitamine B9 ou acide folique est présente dans la plupart des légumes à feuilles vertes, les tomates, les bananes, le foie et les œufs.
La vitamine B12 ou transcobalamine, elle est absente des végétaux. Elle est uniquement fournie par les produits d'origine animale, notamment les abats, les crustacés, les huîtres, les poissons, les œufs et les laitages.

Au moins 1500 calories

A ce jour, on n'a encore rien trouvé de mieux qu'une alimentation variée pour assurer les apports nutritionnels nécessaires au cerveau comme à tous les autres organes. En effet, si un bon statut vitaminique en général semble favorable aux performances cognitives, la seule efficacité à retenir est celle d'une alimentation équilibrée. L'action favorable des vitamines et des minéraux est en relation étroite avec celle des macronutriments comme les glucides, les protides et les lipides. Lors du vieillissement, le principal risque est celui d'une alimentation monotone et insuffisante : en dessous de 1.500 Kcal par jour, on peut redouter une carence en micronutriments, avec en particulier d'éventuelles conséquences sur le fonctionnement cérébral.

Ginkgo

Cultiver ses neurones

Pour entretenir votre cerveau, le stimuler, mieux l'oxygéner... les plantes offrent de nombreux bénéfices.

Le Ginkgo biloba

Depuis quelques années, les études ne cessent de montrer l'efficacité de cette plante sur le vieillissement cérébral. Elle se trouve dans des formules pharmaceutiques allopathiques mais aussi dans des formules de phytothérapie sous forme d'extrait pur de feuilles en gélules. Selon les différentes études, la dose efficace se situe entre 120 et 160 mg par jour, prise en deux ou trois fois et sur une durée d'au moins 3 mois. Pour certains spécialistes l'effet optimal est atteint au bout de 6 mois.

Une cure dès 50 ans

Cette plante est particulièrement intéressante pour réduire les symptômes de la démence sénile et de la maladie d'Alzheimer. De nombreux neurologues la prescrivent à un stade précoce de la maladie en association à des antioxydants pour ralentir l'évolution de la maladie. De façon générale, elle peut être utile à partir de 50 ans pour renforcer les capacités d'attention et de concentration. Avant cet âge, des études montrent qu'en l'associant à du ginseng aux propriétés psycho - stimulantes, elle permet d'améliorer la mémoire et d'autres fonctions intellectuelles.

Le Ginseng

Cette plante mythique vénérée depuis 4000 ans en Chine est surtout réputée pour ses propriétés fortifiantes, stimulantes des performances physiques ainsi que du système immunitaire. C'est pourquoi, elle est classiquement prescrite comme stimulant de l'organisme en cas de fatigue, durant des périodes de surmenage ou de convalescence. L'organisation mondiale de la Santé reconnaît également que le ginseng aide à rétablir le travail de concentration intellectuelle. Des études montrent qu'il est efficace pour améliorer la mémoire, essentiellement chez les personnes jeunes. Et qu'il pourrait contribuer à améliorer l'attention des enfants atteints d'hyperactivité. Par ailleurs, son léger effet anti-dépresseur permet de retrouver un état de bien-être mental indispensable à un travail intellectuel correct.

Racine de Ginseng

Le meilleur des Ginseng

Pour obtenir une efficacité optimale, il importe d'utiliser du Ginseng Panax d'origine asiatique. Par ailleurs, il faut préférer le blanc, dont la racine a juste été nettoyée et séchée. Les résultats seraient moins bons avec le ginseng dit « rouge » ou « ginseng rouge coréen » dont la racine a été traitée à la vapeur avant d'être séchée. Pour profiter des bienfaits de cette plante, il faut également veiller à prendre la bonne dose. Si vous utilisez de la racine séchée, la dose quotidienne se situe entre 500mg et 2g sous forme de capsules ou en décoction (faire bouillir de 1g à 2g de racines dans 150 ml d'eau durant 10 à 15 minutes). S'il s'agit de teinture mère (1/5 g /ml), il faut prendre entre 5 ml à 10 ml par jour. En raison des propriétés stimulantes, il est recommandé de prendre le ginseng le matin durant au moins trois mois de façon continue.

La tête et les jambes

Les neurones ne s'usent que si on ne s'en sert pas. Tous les moyens sont bons pour faire du « remue méninges ».

La tête

Les mots croisés, les mots fléchés ou le Scrabble, sont des activités très intéressantes car, simples, de pratique facile, elles constituent un excellent travail cérébral et plus particulièrement un travail de la mémoire du langage. En effet, on est obligé d'utiliser notre stock de mots qui, s'il n'est pas utilisé suffisamment régulièrement risque de s'appauvrir. Ce type d'exercice peut éviter de se retrouver lors d'une conversation à rechercher un mot que l'on a pourtant au bout de la langue. Le mot est bien dans notre mémoire mais son accès est rendu difficile. Pour éviter ce désagrément, il faut se rappeler régulièrement les mots que l'on connaît et enrichir notre lexique. Par exemple, à partir d'une lettre ou d'une

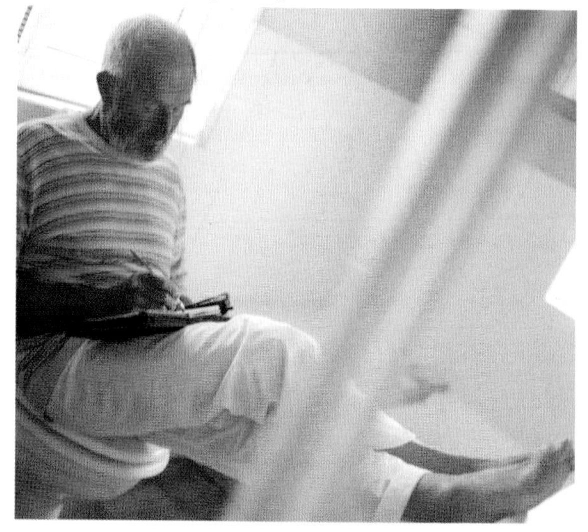

syllabe, on s'exerce à composer le plus grand nombre de mots possibles. Ainsi, à partir de la racine syllabique « po », on peut composer poteau, polisson, polaroïd etc... cet exercice permet également de stimuler la mémoire sémantique afin de donner un sens aux mots. Un autre exercice consiste à énumérer tous les noms de fleurs, de poètes ou d'hommes politiques que l'on connaît, ou d'énumérer tous les synonymes d'un verbe. L'idéal est ensuite d'ouvrir un dictionnaire pour acquérir de nouveaux mots. Plus notre lexique de langage est important, meilleure sera la compréhension d'un texte ou d'une conférence et par voie de conséquence, plus facile sera la mémorisation.

Les jambes

Les jeux, quels qu'ils soient, jeux de ballons, bataille d'eau, jeux de fléchettes, pétanque, golf, tir à l'arc sont d'excellents stimulants du système nerveux central. Ils nous obligent à trouver des stratégies, ils stimulent les réflexes, ils nous demandent d'être attentifs, concentrés... et puis, ils déconnectent l'esprit de préoccupations inhibitrices et stressantes qui épuisent notre capital cognitif. Pensez aussi à la danse : elle oblige à retenir une chorégraphie, à se concentrer sur la coordination des mouvements et rester attentifs aux indications du professeur... on entretient sa mémoire en s'amusant.

Postures de longévité

En Inde, pour rester jeune en bonne santé mentale, on conseille des postures inversées, qui nous positionnent la tête en bas. Selon les médecins traditionnels, il faudrait les adopter quotidiennement durant au moins 5 minutes.

1/ Debout, les pieds légèrement écartés, pencher son buste en avant, jambes tendues. Relâcher la tête et les bras, les mains venant se poser souplement sur les pieds (selon le niveau de souplesse de chacun).

2/ Le poirier, soit en appui sur la tête sur le sol, les jambes en l'air tendues appuyées sur un mur, soit en appui sur les mains, bras tendus, tête en bas, les jambes tendues avec ou sans appui sur un mur.

L'effet : ces postures inversées déclenchent un afflux de sang dans le cerveau. En associant la posture à une respiration contrôlée et profonde, on améliore la circulation du sang localement et l'oxygénation. Après ce type de posture, lorsque l'on revient debout normalement, on se sent d'un coup de bonne humeur. Indirectement, cette position contribue à entretenir la mémoire, notamment en nous protégeant des états de déprime.

Des sens en éveil

Pour préserver notre vie sociale, jouir de tous les plaisirs de la vie et permettre le bon fonctionnement du cerveau, nous avons besoin de tous nos sens.

Bien voir

Avec l'âge, l'œil devient moins performant. A 80 ans, on a besoin de huit fois plus de lumière pour avoir le même sentiment de luminosité qu'à 20 ans. Pour pallier à ce déficit, on peut s'éclairer avec des lampes halogènes qui permettent de régler l'intensité de la luminosité en fonction des besoins : bénéficier d'une forte luminosité lors d'un travail minutieux de lecture ou de couture par exemple et d'une lumière plus tamisée pour un simple éclairage de la pièce. La presbytie qui apparaît à partir de 40 ou 50 ans et évolue avec les années peut être rapidement corrigée avec le port de lunettes. Certaines affections, comme la myopie peuvent depuis quelques années bénéficier d'intervention chirurgicale. De même que la cataracte, survenant en général entre 70 et 80 ans, qui si elle n'est pas soignée évolue vers la cécité.

Testez-vous

Regardez les carreaux de votre salle de bain ou une grille de mots croisés, en fermant alternativement un œil. Si les lignes droites semblent ondulées, c'est un signe d'alerte. Egalement, si une tâche apparaît au centre de votre vision. Ces symptômes sont entre autres les premiers d'une atteinte de la rétine.

Bien manger pour bien voir

Prévenir la DMLA en surveillant son alimentation, c'est possible ! Au menu : du poisson et des légumes verts à volonté.

Selon les recherches, trois familles de micronutriments se révèlent intéressants dans la prévention de cette affection :

- Les antioxydants. Une enquête américaine réalisée sur 5 ans, a montré que la consommation quotidienne et simultanée de doses importantes d'antioxydants, 500mg de vitamine C, 400mg de vitamine E et 80mg de zinc diminue de 25% le risque de passer du stade précoce de la maladie à un stade plus sévère.
- La lutéine et la zéaxanthine. Selon les experts, les doses préventives efficaces de ces deux caroténoïdes sont de 6 à 20mg par jour de lutéine et de 2 mg par jour de zéaxanthine. Pour couvrir vos besoins, rien de plus facile : consommez des épinards une fois par mois et d'autres légumes verts en privilégiant les choux, les haricots verts, les courgettes et les petits pois deux ou trois fois par semaine, par portions de 200g.
- Les oméga 3. Cet acide gras essentiel, présent en grande quantité dans les cellules photoréceptrices, aiderait à la réception du signal visuel. Ainsi un apport de 300 à 1000 mg par jour diminuerait fortement le risque de DMLA. Le poisson en est la meilleure source. Il est donc recommandé d'en consommer deux à trois fois par semaine. L'huile de colza, de noix et de germes de blé ainsi que les fruits à coque en sont également riches. Consommez-en tous les jours en complément des autres huiles.

Entendre, goûter, sentir...

Tous nos sens sont utiles à notre équilibre physique et mental. Vérifiez le bon état de vos oreilles et de votre nez. Chaque sens est extrêmement important car il permet d'enregistrer des milliers de données : des formes, des couleurs, des objets, des paysages, des odeurs, des saveurs, des sons... Sans tous ces messages de l'environnement, notre vie serait bien fade.

Ouvrez grand vos narines !

L'odorat comme le goût, initiés *in utero* par les choix alimentaires de la mère, font partie des sens les plus primitifs, et les plus fortement imprégnés d'émotions. Ne nous suffit-il pas de sentir une bonne odeur de gâteau cuire au four pour aussitôt nous remémorer les goûters fabuleux que préparait notre grand-mère. N'y a-t-il pas un parfum qui vous répulse juste parce qu'il vous rappelle une personne que vous détestez. De même que le goût de la purée de marron ne vous ramène t-il pas aux repas de fêtes de Noël passés en famille. Ainsi, lorsque la mémoire enregistre une odeur ou un goût, elle enregistre en même temps le contexte sensoriel et émotionnel. Aussi odeurs et saveurs sont d'extraordinaires stimulants de la mémoire faisant ressurgir divers souvenirs olfactifs, mais aussi visuels, auditifs, tactiles... Un déficit n'est donc pas sans conséquence sur la vie sociale et relationnelle. Sans odeur ni goût, on perd le plaisir de manger et du même coup le plaisir de partager des moments de convivialité. Peu à peu, on perd le goût de vivre et on laisse s'installer la dépression. Ce manque d'intérêt pour la vie extérieure a inévitablement des retentissements sur le fonctionnement de la mémoire. La perte d'odorat peut avoir une origine hormonale, neurologique, allergique, ORL ou peut être une conséquence du vieillissement. Le traitement de la cause permet souvent de retrouver ou d'améliorer la faculté de sentir. Il est également possible de suivre une rééducation olfactive qui consiste à sentir et à reconnaître divers parfums.

Soyez tout ouie

Comment retenir une musique de film si nos oreilles nous font défaut ? Comment saisir les explications d'un professeur depuis le fond d'un amphithéâtre ? Outre le fait de rater des mots ou phrases, un déficit auditif rend plus difficile la concentration. Une personne qui entend mal se fatigue plus vite car elle doit déployer des efforts énormes pour rester concentrée. En France, on compte entre 5 et 7 millions le nombre de personnes atteintes de troubles auditifs. Quand consulter ? Si on fait répéter souvent, si on ressent le besoin de systématiquement augmenter le son de la télévision ou de la radio, si on a des difficultés à suivre une conversation dans une assemblée, au téléphone ou plus généralement lorsqu'il règne un brouhaha, il faut consulter un ORL. Selon l'origine du problème, il peut proposer un traitement médicamenteux, une rééducation ou la mise en place d'une prothèse auditive. Le simple fait de retrouver une audition correcte permet de stopper les pertes de mémoire et d'éliminer une fatigue chronique qui altérait les capacités cognitives.

UNE NOUVELLE JEUNESSE

Prendre soin de sa peau

C'est inéluctable : rides et perte de fermeté sont là. Des soins ciblés, des textures riches pour gagner en confort, des gestes anti-relâchement vont venir en renfort d'une bonne hygiène de vie.

Votre programme

Une gym faciale

Tous les jours, ou plutôt tous les soirs, une gym du visage après avoir appliqué une crème de soin.

- Gonflez les joues et maintenez pendant deux ou trois secondes, 5 fois de suite.
- Levez les sourcils comme si vous étiez très surprise pendant deux ou trois secondes, 5 fois de suite.
- Souriez béatement en relevant les coins de la bouche au maximum, maintenez pendant 5 secondes.

Vos 4 réflexes beauté

- Geste n° 1 : Une fois par semaine, pratiquez un gommage de la peau, sous réserve évidemment que vous le supportiez. Ce geste est important car une peau qui vieillit renouvelle ses cellules plus lentement. Lui donner un coup de pouce constitue donc un geste anti-âge.
- Geste n° 2 : Deux fois par semaine, appliquer un masque aux vertus hydratantes et antioxydantes.

- Geste n° 3 : Tous les jours, matin et soir, appliquer un sérum. C'est le produit le plus concentré en actifs. Il renforce l'action de la crème ou complète ses bénéfices. Appliquer la crème aussitôt après car le sérum entraîne avec lui les actifs de la crème pour qu'ils agissent en profondeur au cœur des cellules.

• Geste n° 4 : Chaque jour, matin et soir, appliquer un contour des yeux, seul soin ciblé qui prend en compte le réseau vasculaire pour traiter les poches et les cernes. Les gestes doivent être doux, par effleurages sous les yeux et sur les arcades sourcilières. On masse en lissant du coin de l'œil vers le coin externe. On tapote avec le majeur et l'index, toujours dans le sens du drainage.

Gym pour paresseuse

En institut, vous pouvez pratiquer des séances de Lift M6 de LPG. C'est un peu le cellu M6 adapté au visage qui travaille les tissus dans tous les sens. Les visages enrobés retrouvent un beau galbe, les décolletés flétris sont « repassés » et la peau est repulpée. Des programmes spéciaux ont été conçus pour les doubles mentons, le cou et le décolleté. Comptez environ 50 euros la séance de 30 minutes.

Beauté au masculin

Les hommes ont besoin de soins spécifiques car leur peau présente des particularités : la couche cornée est plus épaisse que celle des femmes, le derme est plus ferme et plus élastique, la sécrétion sébacée et la transpiration sont plus importantes. Plus solide en apparence, leur peau est cependant fragilisée par l'âge, le stress et l'agression quotidienne du rasage. Plus tardif, le vieillissement se révèle plus brutal. Après 50 ans, ils doivent miser sur les produits raffermissants qui relancent en profondeur l'activité des cellules : à appliquer le soir car c'est la nuit que la peau s'active. Le matin, il faut apporter une protection riche en antiradicalaires pour lutter contre l'oxydation due à la pollution, au climat, au soleil...

La médecine de la beauté

De la médecine esthétique à la chirurgie plastique, le point sur les techniques qui répondent au mieux à chaque problème.

Au cas par cas

Contre un teint terne :	Des séances de peeling glycolique superficiel. Des séances de Lumière intense pulsée (ou lampe flash). Des séances de Mésolift.
Contre les taches brunes :	Des séances d'azote. Des séances de lumière intense pulsée. Des séances de laser pigmentaire.
Contre les rides sur le front :	Des injections d'acide hyaluronique. Des injections de toxine botulique.
Contre le double menton :	La lipoaspiration.
Contre un cou ridé :	Des séances de Mésolift. Lifting cervico-facial.
Contre un décolleté taché :	Des séances de lumière intense pulsée. Des séances de Mésolift.
Contre un ovale relâché :	Lifting cerco-facial.
Contre les fripures sur les joues :	Des séances de peeling superficiel à l'acide glycolique. Des sances de Mésolift. Des injections d'acide hyaluronique.
Contre les pattes d'oie :	Des séances de lumière intense pulsée. Des injections de toxine botulique. Des injections d'acide hyaluronique.
Contre des paupières tombantes :	Chirurgie des paupières (blépharoplastie).
Contre les cernes creux :	Nappage à l'acide hyaluronique.
Contre les sillons nasogéniens :	Des injections d'acide hyaluronique. La lipostructure.
Contre les plis des coins des lèvres :	Injections d'acide hyaluronique.
Contre des lèvres minces :	Injections d'acide hyaluronique.
Contre une lèvre supérieure plissée :	Nappage ou injections d'acide hyaluronique.
Contre les pommettes affaissées :	Injections d'acide hyaluronique volumateur. Lipostructure.

Les techniques

Le peeling glycolique superficiel	Il consiste en une application d'acide glycolique (ou AHA) qui gomme les cellules superficielles de l'épiderme.
Injection d'acide hyaluronique	Biodégradable, fiable et sûr, il comble les rides, remodèle les lèvres et permet de redonner du volume aux zones creuses du visage (pommettes, fosses temporales).
Le Mésolift	On injecte dans l'épiderme superficiel, un mélange de vitamines, d'oligoéléments et/ou d'acide hyaluronique.
La lumière pulsée intense	On utilise le faisceau lumineux diffusé par une lampe flash pour estomper les irrégularités du teint.
La toxine botulique	En bloquant la contraction du muscle, il déplisse les rides.
La lipostructure	Le chirurgien esthétique comble les zones creuses du visage avec de la graisse préalablement prélevée sur votre corps.
La blépharoplastie	Elle consiste à supprimer l'excès de peau qui donne l'aspect de paupière tombante.
Le lifting cervico-facial	Cet acte chirurgical permet de remonter le bas du visage et le cou. Les cicatrices sont dissimulées par les cheveux et le relief des oreilles.
Les lasers	Contre les rides peu profondes ou les tâches, les lasers fractionnés non ablatifs sont moins agressifs que les lasers de resurfacing CO2 ou erbium.

La gym de l'épanouissement

Des postures et des étirements associés à la respiration harmonisent l'énergie de notre corps pour nous aider à retrouver l'équilibre.

Issu de la tradition millénaire chinoise, le Qi Gong est une discipline qui se trouve à mi-chemin entre la gymnastique, la danse et le jeu théâtral. « Littéralement, Qi Gong signifie « travail sur l'énergie ». Le Qi Gong de la femme travaille l'énergie de façon spécifique selon les besoins des femmes. Par des étirements, des ondulations, des visualisations, on prend l'énergie de la nature, du ciel, de la terre, du soleil ou de la lune et on la répartit mentalement dans tout le corps ou sur certaines parties seulement. Les mouvements sont lents pour acquérir une meilleure connaissance du corps et mieux sentir ce qui se passe à l'intérieur de soi...

Etre dans le présent

On n'est pas dans la perfection du geste mais dans la qualité d'être. On savoure chaque instant. Les femmes expriment un grand besoin de se retrouver avec elles-mêmes car elles sont en permanence sollicitées au quotidien et du coup, elles ont rarement l'occasion d'être dans l'instant. Le Qi Gong leur autorise, et leur permet de s'accueillir telles qu'elles sont à ce moment là, sans jugement. Energétiquement, cette technique accompagne toutes les étapes de la vie génitale des femmes, de la petite fille jusqu'à la femme âgée en passant par la femme enceinte, en proposant des exercices qui régulent leur système hormonal.

Se faire du bien

Le massage des seins est un puissant régulateur des règles et stimulant de la libido. Le massage du ventre diminue les bouffées de chaleur et les émotions. Le mouvement de la « fille au corps de Jade » associant des étirements, des torsions, des ondulations et des sons est un bon exercice de purification, particulièrement bénéfique pour évacuer des souffrances morales ou physiques. Lors des séances, on utilise aussi beaucoup le sourire intérieur que l'on adresse aux organes, par exemple à l'utérus lorsqu'il est à l'origine de douleurs, aux ovaires s'ils sont déréglés ou au cœur si on manque d'amour. Se réconcilier avec les parties du corps qui font souffrir permet de lever des blocages et ainsi de résoudre les problèmes. En harmonisant le corps, la respiration et la concentration, le Qi Gong offre aux femmes une vraie recette de beauté... celle qui ne s'explique pas par une plastique parfaite mais celle que l'on perçoit à travers le sourire rayonnant de certaines femmes.

Le massage des seins

Pour favoriser la circulation du sang et de la lymphe et aider à trouver un équilibre hormonal. Placez les mains sur les seins, centre des paumes sur le mamelon, les majeurs en contact entre les deux seins. Pratiquez des mouvements circulaires en montant par l'intérieur des seins et en redescendant par l'extérieur. Entraînez vos épaules et votre dos dans le mouvement. Renouveler 18 fois dans un sens et 18 fois dans l'autre.

Une belle allure

Lorsque le dos est bien droit, le cou étiré, les épaules vers l'arrière et le ventre galbé, la silhouette paraît plus jeune. Petite leçon pour se tenir droite comme un I.

Le simple fait de se tenir bien droite donne une silhouette plus harmonieuse, mince, tonique et inspire la jeunesse. Pour y parvenir, il faut travailler tous les muscles posturaux qui soutiennent les vertèbres.

Droite comme un i

Tous les jours, le matin, avant de prendre la douche, faites ce petit exercice :
Debout sur la pointe des pieds, jambes tendues et serrées l'une contre l'autre, bras le long du corps, le dos droit. Les épaules sont basses et légèrement tirées vers l'arrière et le cou est bien étiré. Contractez abdos et fessiers en poussant légèrement le pubis vers l'avant. La poitrine est quant à elle légèrement bombée vers l'avant pour ouvrir la cage thoracique. Gardez la position en équilibre 30 secondes en expirant profondément. Faites une courte pause puis recommencez. Répétez deux séries de cinq. Pour intensifier l'étirement des mollets, vous pouvez effectuer 5 à 10 petits rebonds sans décoller les pointes du sol.

En toutes circonstances

Pour renforcer votre dos, il faut trouver la posture qui permet d'obtenir le meilleur alignement vertébral dans toutes les situations de la vie quotidienne.

En marchant. Inspirez profondément par le ventre en laissant l'abdomen se gonfler. Les épaules détendues, sans crisper ni pousser la poitrine en avant. En galbant le ventre, portez le poids du corps légèrement sur les talons.

Debout et immobile. Jambes légèrement fléchies et écartées de la largeur des hanches, dégagez la tête au maximum des épaules.

Assis. Evitez de rester assise à 90 degré. Penchez-vous légèrement en arrière, en gardant les deux pieds bien à plat, afin d'étendre au maximum la colonne.

Allongé. Sur le dos, un petit coussin sous les genoux pour soulager les lombaires. Si vous dormez sur le côté, calez-le entre les jambes afin de conserver le bon alignement.

En voiture. On règle le siège de façon à accélérer et freiner sans tendre complètement les jambes. L'inclinaison du dossier est correcte si on peut saisir le haut du volant en gardant les épaules collées au siège et les bras semi-fléchis.

Mettez-vous au Pilates

Cette technique de gymnastique faisant travailler les muscles profonds, de soutien de la colonne vertébral est très efficace pour corriger notre posture et nous tenir droite. Les exercices lents permettent de prendre conscience de notre corps et de ses limites. Par ailleurs, le renforcement musculaire s'effectuant dans l'étirement, vous préservez la souplesse de vos articulations. Il est préférable de suivre des séances, généralement d'une heure, en petits groupes de 3 à 4 personnes ou mieux individuelles pour que le coach puisse corriger vos postures si vous faites des erreurs.

La vie en rose

Rester jeune, ça se passe aussi dans la tête ! Bien dans votre peau et votre vie, on passe le cap de la cinquantaine sans même s'en apercevoir.

Un moral d'acier...n'est-ce pas le vrai secret de l'éternelle jeunesse ? Jeanne Calment, décédée à 120 ans et bien d'autres centenaires n'ont pas obligatoirement une hygiène de vie sans reproche mais ont en commun une immense joie de vivre. Suivons leur trace en préservant notre santé mentale.

La positive attitude

La vie n'est pas un long fleuve tranquille. Elle est jalonnée de grandes joies mais aussi de grands malheurs. Sans pour autant devenir insensible, essayons de ne pas nous laisser envahir par la tristesse car alors on ne finit par retenir que le côté négatif de l'existence. Pour remonter la pente, valorisez les petites choses qui font le quotidien (une sortie entre amis, la préparation de vacances). Vivez le présent : se laisser réchauffer par le rayonnement du soleil, respirer profondément en ouvrant les volets et en essayant de percevoir des sensations agréables (bruits d'oiseaux, odeur d'herbe coupée...). Mettez en place des projets et surtout échangez avec les autres. La communication est un excellent anti-dote à la déprime. Et puis à la fin de la journée, notez toutes les émotions agréables et dédramatisez les situations qui ont été déplaisantes.

Oui aux petits plaisirs

Un petit verre de vin, une tarte au chocolat, une belle musique, un bain bien chaud, un soin chez l'esthéticienne... Faites-vous plaisir. Chacun de ces petits moments de bonheur sont enregistrés par le cerveau et génèrent une foule de pensées positives. Cherchez aussi le plaisir dans l'activité physique : la marche dans la nature, la danse, le yoga... la sécrétion d'endorphines pendant l'effort a un effet anti-stress.

De la joie dans l'assiette

Pour préserver notre équilibre psychologique, nous devons nourrir correctement notre cerveau. Il a besoin de vitamines du groupe B présentes dans la levure de bière et les légumes secs, d'oligo-éléments et de minéraux tels que le magnésium (dans le cacao et les céréales), le phosphore, le sodium et le potassium (banane, poire). Les chercheurs ont récemment montré qu'il a également besoin d'acides gras oméga3 présents dans les poissons gras (saumon, hareng, maquereau, anchois), les graines de lin, les noix, le soja, l'huile de colza ou de noix.

Des aides naturels

Pour passer les caps difficiles, pensez au millepertuis. L'extrait de cette plante est aussi efficace que les antidépresseurs avec beaucoup moins d'effets secondaires. Pour que le traitement soit efficace, il faut absorber 3g de son principe actif par jour (l'hypéricine). Les élixirs floraux se révèlent également utiles. L'élixir de noyer (Walnut) est parfaitement adapté à la ménopause car il aide à passer les caps, les transitions. Pour retrouver l'entrain à faire les choses, prenez plutôt l'élixir de charme (Hornbean). Si vous êtes au bord du désespoir, l'élixir de châtaignier vous aidera à voir les problèmes sous un angle plus positif. Si vous êtes nostalgique du passé, l'élixir de chèvrefeuille permet de regarder l'avenir sans peur.

L'ÂGE SEXUEL

Le désir

A 20 ans, le désir prend son essence dans les fantasmes. A 50, la stimulation est sexuelle.

Même si les statistiques indiquent qu'il existe une baisse de l'activité sexuelle à partir de la cinquantaine aussi bien chez la femme que chez l'homme, les chiffres ne disent pas qu'il existe de grandes variations d'une personne à une autre. Tout dépend de l'idée que chacun se fait sur le plaisir amoureux et de l'intérêt qu'il y porte. Certains couples ne font plus l'amour depuis longtemps alors que d'autres continuent jusqu'à un âge avancé. Toutes les études le montrent : plus l'activité amoureuse est importante dans la jeunesse et à l'âge adulte, plus elle se maintient ensuite.

Ne jamais arrêter

Plus on a une activité sexuelle, plus celle-ci pourra être prolongée. En effet, chez l'homme la testostérone diminue en l'absence d'activité sexuelle. Chez la femme, le meilleur traitement contre la sécheresse vaginale est de continuer à faire l'amour. Toutefois, il ne faut pas essayer de faire l'amour comme à 20 ans. Avec l'âge, il faut s'adapter : on gagne en connaissance ce qu'on a perdu en capacité physique. Le plaisir ne peut aboutir que si le couple y participe. Il faut savoir changer les rôles, à passer d'actif à réceptif. Il faut accepter à des moments de se laisser caresser et à d'autres de prendre l'initiative.

Créer l'ambiance

La sexualité passe aussi par l'environnement, le quotidien. Organiser de bons repas à deux, se balader enlacés, sentir, écouter ensemble pour le plaisir de partager des moments agréables. Bercés par un climat complice et serein, vous pouvez mettre en place une sexualité joyeuse et tendre.

Affaires d'hommes

La baisse de la testostérone, le stress, la fatigue, la maladie... autant de facteurs pouvant perturber l'activité sexuelle des hommes. La nature peut vous aider à retrouver votre vigueur.

Dégager les artères

L'érection dépend du flux de sang dans le pénis. Or les artères qui transportent le sang jusqu'au pénis sont d'un petit diamètre : le cholestérol, les plaques d'athéromes risquent de les boucher. Mettez-vous au plus vite au régime crétois et traitez votre excès de cholestérol. En complément, vous pouvez prendre des capsules d'oméga3 (huile de foie de morue par exemple), de la vitamine E antioxydante et fluidifiante associée à de la vitamine C pour plus d'efficacité.

Renforcer la sécrétion de testostérone

Cette hormone mâle est nécessaire au désir et à l'érection. Or sa production a tendance à diminuer avec l'âge. Pour la stimuler, faites du sport

Résister au stress

Pour 40% des cas de baisse de la libido chez l'homme, le stress et la fatigue sont en cause. Prenez les devants : accordez-vous des pauses, hiérarchisez vos activités, réagissez avant que la tension ne soit trop importante. Des méthodes de relaxation comme la sophrologie, la méditation peuvent vous aider à décompresser.

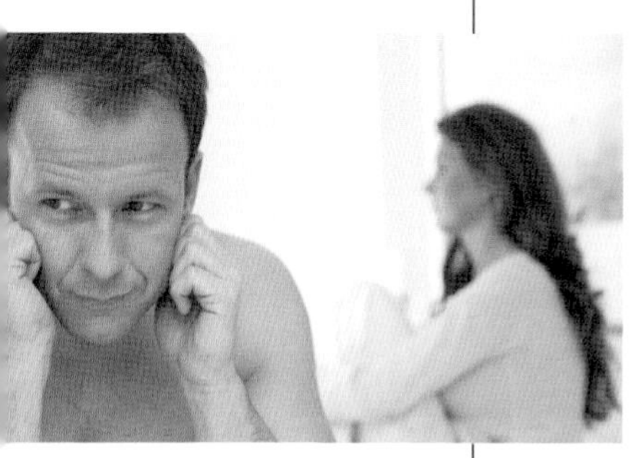

Le périnée au cœur du plaisir

Les femmes connaissent leur périnée au travers de la rééducation périnéale. Pourtant, chez les femmes comme les hommes, il permet aussi de favoriser le plaisir lors des rapports sexuels.

Le manque de sensation lors des rapports sexuels peut être dû à une faiblesse du périnée, cette zone située entre jambes qui soutient les organes et qui joue aussi un rôle dans la continence urinaire et fécale.

De nombreux facteurs peuvent diminuer les capacités du périnée. Chez les femmes, l'accouchement, la grossesse, la ménopause mais aussi les sports dits à impacts (jogging, tennis...), les abdominaux et la constipation chronique. Chez l'homme, les traumatismes directs du périnée sont plus rares. Seule la prostatectomie peut entraîner incontinence et dysfonction érectile. Leur principal problème est de ne pas savoir s'en servir. Leurs muscles sont alors insuffisants et incompétents. Par exemple leur problème de constipation chronique est parfois provoqué par une inversion de commande périnéale : alors qu'il croit pousser, il fait l'inverse.

Une synergie homme-femme

Lors du rapport sexuel, il y a une complémentarité entre les muscles féminins et masculins. C'est en contractant et en relâchement de façon adéquat leurs muscles que chacun des partenaires peut donner encore plus de plaisir à l'autre. Chez l'homme, les rôles du périnée sont d'abord de ralentir l'éjaculation prématurée et d'aider à l'érection quand celle-ci est déclenchée. Lorsque l'homme est capable de contracter à la volonté les muscles du pénis, il peut mieux gérer un problème d'impuissance par exemple en augmentant la pression sanguine dans le pénis. En cas d'éjaculation précoce, il apprend à mieux sentir venir le moment, à ralentir et retarder l'éjaculation. Dans ce cas, la femme doit savoir relâcher son périnée au bon moment pour ne pas continuer à stimuler le pénis de son partenaire.

La gym périnéale

1/ Debout, assise ou allongée, serrez vos parois vaginales l'une contre l'autre comme deux portes de Western qui se referment et maintenez les serrer d'abord secondes puis 10 secondes. Relâcher 3 secondes et recommencez une dizaine de fois.

2/ Assise sur une chaise, pieds à plat sur le sol, penchez-vous vers l'avant de façon à poser vos coudes sur vos cuisses. Restez dans la position et concentrez-vous sur votre anus. Remontez-le comme un pont levis vers le vagin et tenez la fermeture 5 secondes, relâchez et recommencez une dizaine de fois.

3/ Allongée sur le dos, jambes pliées, pieds au sol, imaginez un filet d'air que vous voudriez aspirer dans votre vagin et le faire monter le plus haut possible jusque sous vos côtes. Lorsque vous sentez l'aspiration maximale, tenez la position 5 secondes, relâchez et recommencez plusieurs fois. Cet exercice pratiqué pendant l'acte sexuel augmente le plaisir de l'homme.

4/ Debout, croisez les jambes et serrez les bords des pieds l'un contre l'autre le fort possible, périnée serré, en tendant les jambes, en rentrant le ventre de façon à plaquer le nombril contre la colonne vertébrale en arrière et en vous grandissant. Tenez la position 10 secondes. Recommencez une dizaine de fois

Le désir au naturel

Plantes, fleurs, homéopathie peuvent vous aider à retrouver la voie du désir et goûter au plaisir de l'amour.

Le ginseng

Dynamisante, revitalisante, cette plante utilisée en Chine depuis 4000 ans, se révèle très efficace pour lutter contre la fatigue physique et intellectuelle. C'est probablement cette action tonique qui explique son action stimulante sur la libido. Attention, seule la variété Panax a des propriétés sur la sexualité. On le trouve sous forme de gélules ou de teinture mère.

Le gingko biloba

Aux vertus circulatoires, il favorise la congestion des organes érectiles (verge chez l'homme et clitoris chez la femme) ainsi que les organes génitaux. L'afflux de sang favorise ainsi les sécrétions vaginales et le plaisir. Vous pouvez le consommer sous forme de gélules ou encore mélangé à du thé à boire régulièrement.

La cannelle

Stimulante, elle est aussi aphrodisiaque. Deux touches de cet épice...et le plus quotidien des plats retrouve son capital de séduction. Faites-en aussi des tisanes ou une huile de massage ou un vin à déguster à deux, obtenu par macération de 50g de cannelle et 30g de vanille dans 1 litre de Frontignan (recette renommée en Provence).

Des fleurs

Certains élixirs floraux peuvent aider à mieux vivre votre sexualité.

- L'élixir de vigne aide les personnes qui ne désirent personne car personne n'est à leur hauteur.
- L'élixir de centaurée soulage les personnes qui ont perdu le contact avec leur propre désir.
- L'élixir de tremble convient aux personnes que la sexualité effraie.
- L'élixir de violette d'eau relance le désir de ceux qui préfèrent rêver à l'être idéal plutôt que se confronter à la réalité de la relation.

L'homéopathie

Contre la perte de tout désir sexuel. Chez la femme : Conium Maculatum 7ch et chez l'homme : Onosmodium 7 ch, 3 granules au réveil et au coucher.
Contre les difficultés d'érection : Laladium 5 ch, 3 granules trois par jour.
Contre l'éjaculation sans érection : Sélénium 7CH, une dose tous els 8 jours.
Contre la sécheresse vaginale : Sepia 5 ch, 3 granules, au réveil et au coucher.
Contre les douleurs lors de la pénétration : Lausticum 9CH, une dose tous les 8 jours.

Des hormones naturelles

Pour rétablir l'équilibre hormonal, avec l'avis de votre gynécologue, on peut consommer du soja riche en phyto-oestrogènes qui agit en contrariant l'action oestrogénique excessive. A vous germes de soja, tofu, farine de soja (les composants des autres formes, galettes, yaourts, lait sont de moins bonne qualité). Vous le trouvez aussi en gélules vendues en pharmacies ou boutiques diététiques. Pour compenser la baisse relative de progestérone, pensez au yam extrait de l'igname. On le trouve sous forme de crème à appliquer sur la peau ou de gélules.

DES MENUS DE JOUVENCE

Après 55 ans, nos besoins énergétiques sont moindres car notre métabolisme est ralenti. Toutefois, il ne faut pas consommer moins de 1500 calories par jour, c'est un minimum pour apporter suffisamment de micronutriments indispensables au bon fonctionnement de notre organisme. Il n'existe pas de régime rajeunissant mais une alimentation qui permet de ralentir l'usure des tissus et favoriser leur renouvellement.

Moins de viande plus de poisson : limitez votre consommation de viande, de préférence blanche (poulet, dinde, lapin, filet mignon de porc) à trois repas par semaine, les autres se constituent de poisson, d'œufs ou de protéines végétales. Vous avez néanmoins besoin de ces aliments riches en protéines pour préserver votre masse musculaire qui a tendance à fondre avec l'âge et pour entretenir votre système immunitaire.

Des bons sucres : privilégiez les aliments à index glycémique bas (moins de 20) pour éviter les pics d'insuline favorisant le stockage des graisses à l'origine de prise de poids et de plaques d'athérome. Des facteurs qui participent au développement du diabète et des maladies cardiovasculaires entre autres.
Des fruits et des légumes : ils doivent figurer à tous les repas : 400g, c'est la quantité minimale à consommer chaque jour. Riches en fibres, en antioxydants et autres vitamines et oligo-éléments, ils jouent un rôle dans la prévention de nombreuses maladies.

Des graisses essentielles : si l'excès de graisses expose aux maladies, une insuffisance d'apport accélèrerait le vieillissement et affaiblirait notre système de défense immunitaire. Elles doivent constituées 30% de vos apports énergétiques, dont une grande partie (voire la totalité) d'origine végétale. Variez les huiles pour obtenir un bon équilibre entre les oméga3 et les oméga 6.

Du calcium sans lait : ce minéral est essentiel pour maintenir votre capital osseux et musculaire. Il joue également un rôle dans le contrôle du poids et de la tension artérielle. Les laitages constituent la principale source mais n'en abusez pas car ces produits sont aussi acides favorisant l'oxydation des cellules et la perte osseuse. Pensez aux eaux minérales calciques, aux légumes et aux fruits oléagineux qui en contiennent.

En pratique

Prévoyez au moins 5 fruits et légumes par jour pour les fibres et les vitamines antioxydantes, dont des crucifères à au moins un des repas de la journée pour favoriser les bons oestrogènes, des céréales complètes et des légumes secs à faible index glucidique, du poisson pour les omega3, du soja de bonne qualité 2 fois par semaine, des viandes maigres et des laitages maigres, des huiles de première pression à froid de colza, de noix, d'olive ou de germes de blé et des aliments basiques pour lutter contre l'acidité de l'organisme favorisant la production de radicaux libres et la perte osseuse.

Des compléments utiles

Prenez à chaque repas 400 mg de chacune des huiles suivantes : huile de poisson, huile de bourrache et huile de germes de lin pour leur richesse en vitamines D, E et en acides gras essentiels. Des compléments utiles chez les femmes comme les hommes. Les huiles de poisson présentent des acides gras protecteurs contre les maladies cardiovasculaires et le lin aurait un intérêt dans la prévention du cancer de la prostate. L'huile de bourrache aide à lutter contre certaines hormones (prostaglandines) impliquées dans la survenue de maladies dégénératives. Une supplémentation en calcium sous forme de citrate ou de lactate de calcium est parfois indiquée. Prévoyez un ou deux verres d'eau alcaline par jour type Badoit ou Vichy Célestin pour limiter l'acidité de l'organisme.

Vos petit-déjeuners

Un bol de flocons d'avoine mélangés à des amandes, des graines de courges ou des noisettes avec un yaourt au soja, une orange, thé vert.

Ou

Un verre de jus de carotte additionné d'un jus de citron, 1 ou 2 œufs à la coque, 2 tranches de pain complet, tisane de prêle (riche en silicium pour mieux fixer le calcium).

Ou

Banane mixée avec du lait d'amandes, germes de blé, quelques noisettes, tisane au romarin.

Vos déjeuners

Carottes assaisonnées d'huile d'olive et d'ail, saumon à l'unilatérale avec des brocolis sautés, une tranche de pain complet, 1 pomme au four avec des amandes grillées.

Ou

Petits potimarrons farcis au tofu, salade de pourpier arrosée de jus de citron et d'huile de noisette, 2 carrés frais à 0% et une tranche de pain aux céréales, une poire pochée.

Ou

Tagine de poulet avec des olives, des carottes, des courgettes, un bol chinois de quinoa, une crème dessert au lait d'amandes et raisins secs.

Vos dîners

Soupe au chou, feuilles de brick farcies au thon, brousse de brebis et feuilles de blettes, une compote d'abricots et noisettes concassées.

Ou

1 ou 2 œufs avec une salade de mâche mêlée de tagliatelles de carottes crues, parsemée de graines de sésame et arrosée d'un jus de citron et d'huile de colza, flan au lait d'avoine et à l'agar agar parfumé à l'huile essentielle de mandarine.

Ou

Choucroute au tofu fumé et pommes de terre, salade verte avec de l'huile de noix, 2 petits suisses à 0% et son d'avoine.

QUESTION RÉPONSES

Faut-il rester aliter en cas d'arthrose ?
En dehors des poussées inflammatoires, l'exercice est recommandé. Il aide à entretenir la souplesse des articulations. Si on entretient la raideur, la douleur s'installe et on limite encore ses mouvements : l'articulation se rouille un peu plus. Quelle que soit la localisation de l'arthrose, la natation et la marche sont fortement conseillées, mais pas de sports de combat. Pour l'arthrose du genou et de la hanche, ce sont les sports de ballon et la couse à pied qui sont à proscrire. Pour celle de l'épaule, du coude et de la main, il faut éviter les sports de raquette.

Peut-on refaire du sport après un infarctus ?
Oui, c'est même vivement conseillé, après avoir fait des tests chez le cardiologue, évidemment. Généralement, la reprise de l'exercice s'effectue deux semaines après l'hospitalisation. Les sports recommandés sont la marche, le vélo, le jogging et la natation à raison de 3 séances par semaine de trente à soixante minutes. L'intensité des efforts est à déterminer avec le cardiologue en fonction des résultats des tests. Des activités complémentaires de renforcement musculaire sont aussi utiles.

Peut-on prendre du soja en cas d'antécédents de cancer du sein ?
Non car il contient des phyto-oestrogènes, l'équivalent végétal des hormones féminines contre-indiquées dans le cas de cancers hormono-dépendants. Pour lutter contre les bouffées de chaleur, vous pouvez recourir au gattilier et à la mélisse des phyto-progestagènes qui freinent l'action de l'hypophyse. Des tisanes composées de bourse de pasteur plante, de vigne rouge, d'hamamélis feuille, d'achillée millefeuille plante et d'aubépine sommités fleuries peuvent également vous aider. Côté homéo, lachesis et sulfur sont deux bons remèdes.

Le stress peut-il provoquer un infarctus ?

Pas tout à fait. Même s'il fait augmenter la tension artérielle, le stress ne peut pas à lui seul engendrer un infarctus. En revanche, l'agression occasionnée par le stress est aujourd'hui reconnue comme un facteur de risques de maladies cardiovasculaires. S'il s'ajoute à d'autres facteurs (diabète, excès de cholestérol...) ou au tabagisme, surpoids, eux-mêmes à risque, la survenue d'accidents cardiaques devient encore plus importante.

Peut-on stimuler l'immunité par l'alimentation ?

On sait qu'un régime pauvre en graisses et protéines et riche en sucre diminue nos capacités de défense contre les virus, les bactéries et autres agresseurs. Il faut par ailleurs veiller à consommer suffisamment de vitamine A, un des supports essentiels du système immunitaire. Les vitamines B, C et E ainsi que le zinc sont également indispensables.

Existe-t-il des cures spéciales ménopause ?

Depuis peu Bagnoles-de-l'orne a mis en place une cure thermale spéciale ménopause. Son eau a un effet stimulant sur l'hypophyse et l'hypothalamus au cœur du système hormonal. Dans certains cas, les cures de 3 semaines peuvent être prises en charge par la sécurité sociale. En plus des soins d'eau, vous pouvez faire du yoga, de la gym adaptée, du stretching et recevoir des conseils nutritionnels. Les bénéfices se font vite sentir : les suées diminuent d'intensité, la peau et les muqueuses sont moins sèches, le sommeil est meilleur et on se sent globalement mieux dans notre peau.

L'ostéoporose peut-elle touchée les hommes ?

Oui. Même si les femmes sont plus fréquemment atteintes, la perte de densité osseuse ou ostéoporose peut également survenir chez les hommes. Parmi les facteurs de risques rencontrés fréquemment chez les hommes, on trouve l'alcoolisme, le tabagisme, l'insuffisance en hormones mâles (testostérone), la prise prolongée de médicaments notamment les corticoïdes. Mais aussi les maladies rhumatismales inflammatoires (polyarthrite rhumatoïde, spondylarthrite ankylosante...) ou une carence en calcium et vitamine D.

Les anesthésies altèrent-elles la mémoire ?

Même si des progrès ont été faits sur les médicaments anesthésiants, on peut dans les mois qui suivent une anesthésie souffrir de troubles de la concentration, de l'attention et de la mémorisation. Ces troubles peuvent être majorés par certains facteurs. Notamment lors des chirurgies cardiaques où il peut se produire une migration de dépôts graisseux vers le cerveau, ce qui diminue les performances cérébrales dans 10 à 15% des cas. L'âge joue également un rôle : à partir de 70 ans, les troubles de la mémoire apparaissent dans 20% des cas. La prise de benzodiazépines favorise aussi ce type de problèmes. Heureusement, tous ces troubles sont transitoires et en un an, la majorité a disparu.

Peut-on faire du sport avec une prothèse de hanche ?

On peut faire du sport presque normalement. Les sports déconseillés sont ceux exposant au risque de luxation : sports de combat, équitation, certains sports d'appuis nécessitant des déplacements latéraux violents (basket, foot, hand-ball...). On peut pratiquer quotidiennement la marche, la natation, le vélo ou le golf. La pratique du tennis est possible mais pas plus d'une fois par semaine et en jouant en double pour limiter les déplacements.

LEXIQUE

Acides gras trans : ce sont des huiles partiellement hydrogénées nocives pour la santé car favorisent l'excès de cholestérol et de triglycérides et stimulent la production d'insuline.

Andropause : sorte de « ménopause » chez l'homme marquée par l'insuffisance d'hormones mâles (testostérone).
Biphosphonates : médicaments prescrits depuis en cas d'ostéoporose lorsque les traitements hormonaux sont contre-indiqués.

Curiethérapie : technique détruisant de façon ciblée les cellules cancéreuses avec de l'iode radioactif, dans le cas du cancer de la prostate par exemple.

Index Glycémique : capacité qu'a un aliment à faire grimper le taux de sucre dans le sang. Plus il est bas, mieux c'est. Au-delà de 20, c'est trop. Le risque de stockage des graisses est important.

Infarctus du myocarde : mort d'une partie plus ou moins importante du muscle cardiaque.

LDL : mauvais cholestérol à l'origine des plaques d'athérome qui bouchent les artères.

Micronutriments : éléments nutritionnels présents en faible quantité (à l'état de traces) dans les aliments.

Ostéoporose : perte de densité osseuse rendant les os plus fragiles.

Stress oxydatif : processus biologique qui conduit à l'oxydation des cellules et des tissus et participe à l'usure des tissus.

Vitamine D : vitamine indispensable pour assimiler le calcium. L'exposition au soleil permet d'en fabriquer naturellement. Elle se trouve aussi dans certains aliments.

POUR ALLER PLUS LOIN

- Société française de sexologie clinique (SFSC)
www.sexologie-fr.com

- CENATHO naturopathie.
Tel 01 42 89 09 78.

- CERIN (Centre de recherche et d'Information Nutritionnelles)
www.cerin.org

- Femmes pour toujours (association française pour l'information et la documentation sur la ménopause et ses traitements).
Tel 08 26 62 31 95 ; www.femmes-pourtoujours.com

- « Soyez bien dans votre assiette jusqu'à 80 ans et plus »
de Catherine Kousmine, éditions Sand.

- Association pour l'information sur la médecine et la chirurgie esthétique.
Tel 01 42 09 41 10. www.infoesth.com

- Fédération européenne de Qi gong et arts énergétiques.
Tel 04 42 93 34 31. www.federationqigong.com

- Boutique spécialisée en phytothérapie : www.espritphyto.com

Les titres disponibles chez Alpen Éditions :

- *Alcool, vin et santé*
- *Arrêter de fumer… c'est possible*
- *Arthrose rhumatismes arthrite*
- *Asthme sous contrôle*
- *Astro plantes*
- *Bien vivre après un infarctus*
- *C'est la thyroïde docteur ?*
- *Contrôlez votre acidité. L'équilibre acido-basique*
- *Cuisson et santé*
- *Dites non au cholestérol*
- *Docteur, c'est la prostate ?*
- *Docteur, j'ai un psoriasis*
- *Drépanocytose et thalassémies*
- *Découvrez les Index Glycémiques*
- *Eliminez le sel, retrouvez la forme !*
- *Énergie et médecine chinoise*
- *Fatigue chronique, fibromyalgie*
- *Garder la forme après 45 ans*
- *Ginseng : mille ans de bienfaits*
- *H5N1 la grippe aviaire*
- *Je nourris mon enfant*
- *La diététique du diabète*
- *La naturopathie*
- *La nouvelle ménopause*
- *La nouvelle minceur*
- *La santé bucco-dentaire*
- *La souplesse*
- *La vérité sur les vaccins*
- *Le chocolat, du plaisir à la santé*
- *Le guide de phytothérapie*
- *Le guide pratique des vitamines*
- *Le mal de dos, c'est fini*
- *Le monde des jeux vidéo*
- *Le pouvoir des oméga-3*
- *Le précis des oligoéléments*
- *Le régime hyperprotéiné*
- *Le sommeil retrouvé*
- *Le syndrome XXL*
- *Les 120 plantes médicinales*
- *Les bienfaits de la mer*
- *Les bobos de vos enfants*
- *Les bons sucres pour maigrir*
- *Les compléments alimentaires*
- *Les cosmétiques Bio*
- *Les médicaments de demain*
- *Les miracles du soja*
- *Les nouvelles plantes qui soignent*
- *Les plantes du bonheur*
- *Les remèdes de la ruche*
- *Les secrets de santé des antioxydants*
- *Les secrets de santé du thé*
- *L'hypertension artérielle*
- *L' olivier, trésor de santé*
- *L'ostéoporose*
- *Maigrir après 40 ans*
- *Maigrir à l'aide des compléments alimentaires*
- *Maigrir avec la diététique chinoise*
- *Maigrir selon son type hormonal*
- *Maigrir selon vos hormones*
- *Mémoire totale*
- *Millepertuis : l'antidépresseur naturel*
- *Montignac : recettes desserts minceur*
- *Montignac : recettes entrées minceur*
- *Montignac : recettes poissons minceur*
- *Montignac : recettes viandes minceur*
- *Plus jamais fatigué !*
- *Plus mal au dos*
- *Plus mal au ventre*
- *Prévenir Alzheimer*
- *Programme anti-âge*
- *Programme jambes légères*
- *Programme jeunesse*
- *Relations amoureuses et sexualité*
- *Revivre après une séparation*
- *Rhumatismes : votre ordonnance naturelle*
- *Soigner et préserver ses cheveux*
- *Stress contrôle*
- *Une grossesse heureuse*
- *Une peau zéro défaut*
- *Vaincre l'allergie*
- *Victoire sur l'arthrose*
- *Vivre avec un enfant hyperactif*
- *Votre santé par les huiles essentielles*
- *Votre santé par les plantes*

Pour être tenu informé régulièrement des nouvelles parutions d'Alpen Éditions, vous pouvez vous inscrire sur notre site internet : **www.alpen.mc** ou adresser vos coordonnées et/ou votre adresse e-mail à l'adresse suivante :

Alpen Éditions - 9, avenue Albert II - 98000 Monaco